KB172000

강력한 아주대 자연계 수리논술

기출문제

저자 소개

저자 김근현은 현재 탁트인 교육, 일으킨 바람, 에듀코어 대표이다.
前 메가스터디 온라인에서 대입 논술과 면접, 자기소개서, 학생부종합 등 다양한 동영상 강의를 하였다.
현재는 학습 프로그램 개발 및 연구 활동을 통해 교육의 발전을 고민하고 있다.
홍익대학교에서 전자전기공학부를 졸업하고 동대학원에서 전자공학 석사(반도체 레이저)를 전공하였다. 또한 연세대학교 교육경영최고위자 과정을 마쳤으며 연세대학교 교육대학원에서 평생교육 경영을 공부하고 있다.

강력한 아주대 자연계 수리논술 기출문제

발　행 | 2024년 03월 11일
개정판 | 2024년 07월 04일
저　자 | 김근현
펴낸이 | 김근현
펴낸곳 | 일으킨 바람
출판사등록 | 2018.11.12.(제2018-000186호)
주　소 | 경기도 고양시 일산서구 하이파크 3로 61 409동 1503호
전　화 | 031-713-7925
이메일 | ileukinbaram@gmail.com

ISBN | 979-11-93208-86-1

www.iluekinbaram.com

강력한 아주대 자연계

수리논술 기출문제

김 근 현 지음

차례

머리말

책을 쓰기 위해 책상에 앉으면 아쉬움과 안타까움, 나의 게으름에 늘 한숨을 먼저 쉰다.
왜 지금 쓸까?
왜 지금에서야 이 내용을 쓸까?
왜 지금까지 뭐했니?
스스로 자책을 한다.

또 애절함도 함께 느낀다.
시험이 코앞에서야 급한 마음에 달려오는
수험생들에게 왜 미리 제대로 준비된 걸 챙겨주지 못했을까?
그렇게 하루, 한 달, 일 년 그렇게 몇 해가 지나 이제야 조금 마음의 짐을 내려놓는다.

입에 단내 가득하도록 학생들에게 강의를 했고,
코앞에 다가온 연속된 수험생의 긴장감을 함께하다보면
그렇게 바쁘게 초조하게 지냈던 것 같다.

그렇게 함께했던 시간을 알기에
부족하겠지만
부디 이 책으로 수험생들이 부족한 일부를 채울 수 있고,
한 걸음이라도 희망하는 꿈을 향해 다갈 수 있길 간절히 바래 본다.

김 근 현

I. 아주대학교 논술 전형 분석

1. 논술 전형 분석

1) 전형 요소별 반영 비율

전형요소	논술	학생부교과	총합
논술고사	80%	20%	100%

2) 학생부 교과 반영

20%

(ㄱ) **반영교과 및 반영비율**

- 계열 구분 없이 국어, 수학, 영어, 사회, 과학 교과(편제) 반영
- 학년별 가중치 없음, 교과별 가중치 없음

※ 한국사는 포함하지 않음

대 상	인정범위	반영 교과
졸업(예정)자	1학년 1학기 ~ 3학년 1학기	국어, 영어, 수학, 과학, 사회

(ㄴ) **인정범위 및 반영비율: 전형별 학생부 반영비율의 100%(기본점수 없음)**

구분	등급	1등급	2등급	3등급	4등급	5등급	6등급	7등급	8등급	9등급
	성취도	A		B		C				
등급점수		100	99	98	95	90	85	75	65	0

3) 수능 최저학력 기준

없음(의학과 제외)

- 의학과: 국어, 수학(선택과목 제한없음), 영어, 과탐(과탐 중 2과목 평균) **등급합 6** 이내
- 약학과: 국어, 수학(선택과목 제한없음), 영어, 과탐(과탐 중 2과목 평균) 중 3개 영역 **등급합 5** 이내

4) 논술 전형 결과

(ㄱ) 2024학년도 논술 전형 결과

구분		2024학년도										
대학	모집 단위	모집 인원	충원 합격	최종 등록	경쟁률	학생부				논술		
						최저	등급 70%cut	평균	최고	최저	평균	최고
공과대학	기계 공학과	9	2	9	61.9 : 1	5.18	5.18	4.36	3.66	92.5	98.1	100.0
	화학 공학과	12	1	11	63.2 : 1	5.68	4.14	3.86	2.85	97.0	99.4	100.0
	첨단 신소재 공학과	7	0	7	61.7 : 1	5.59	3.80	4.13	2.93	95.0	96.6	99.5
	건축 학과	13	2	13	58.9 : 1	5.29	3.41	4.05	3.37	95.0	98.4	100.0
	AI모빌 리티 공학과	3	0	3	60.7 : 1	-	-	-	-	85.0	86.2	87.0
정보통신 대학	전자 공학과	42	20	41	63.8 : 1	6.45	2.96	3.85	2.38	82.0	88.9	100.0
	지능형 반도체 공학과	5	2	5	55.6 : 1	4.99	4.99	4.11	3.45	75.0	81.0	87.0
소프트웨어 융합대학	소프트 웨어 학과	10	2	10	83.5 : 1	6.48	4.15	3.82	2.98	85.0	89.1	95.0
자연과학 대학	수학과	16	8	16	30.30 : 1	6.48	3.86	4.45	2.98	92.0	96.2	100.0
의과대학	의학과	10	0	10	398.2 : 1	6.24	1.66	2.55	1.44	73.0	76.4	85.0

(ㄴ) 2023학년도 논술 전형 결과

구분		2023학년도								
대학	모집단위	모집 인원	충원 합격	최종 등록	경쟁률	최저	학생부 등급 70%cut	평균	최고	논술 평균
공과대학	기계공학과	9	5	9	49.3 : 1	7.76	3.32	4.38	2.96	55.5
	화학공학과	12	10	12	50.6 : 1	6.22	4.81	4.49	2.79	56.3
	첨단신소재공학과	7	4	7	50.7 : 1	4.66	4.66	3.70	2.72	57.8
	건축학과	13	6	13	47 : 1	6.85	5.01	4.77	3.03	48.9
	AI모빌리티공학과	3	0	3	41 : 1	5.17	3.36	4.37	3.36	44.7
정보통신대학	전자공학과	42	22	41	61.5 : 1	6.30	3.77	3.94	2.50	72.9
	지능형반도체공학과	5	3	5	45 : 1	4.88	-	4.54	3.99	69.5
소프트웨어 융합대학	소프트웨어학과	10	3	10	89 : 1	5.39	3.90	4.24	2.85	75.5
자연과학대학	수학과	16	10	15	25.8 : 1	6.40	5.20	4.44	2.81	61.6
의과대학	의학과	10	3	10	447.6 : 1	5.52	5.52	2.97	1.55	65.2

(ㄷ) 2022학년도 논술 전형 결과

구분		2022학년도					
대학	모집단위	모집 인원	경쟁률	교과: 70%cut 종합: 100%cut	평균	최고	논술 평균
공과대학	기계공학과	20	46 : 1	6.59	4.35	2.80	89.9
	화학공학과	10	56.3 : 1	5.81	3.88	2.78	81.4
	첨단신소재공학과	6	49.5 : 1	4.44	3.50	2.45	77.8
	환경안전공학과	5	43.2 : 1	5.37	4.84	4.09	70.0
	건축학과	13	45 : 1	7.17	4.78	3.33	78.3
정보통신대학	전자공학과	47	48.6 : 1	6.67	4.27	2.41	59.4
소프트웨어 융합대학	소프트웨어학과	10	82.5 : 1	6.85	4.37	2.87	67.4
자연과학대학	수학과	16	27.3 : 1	6.20	4.27	2.98	90.4
	생명과학과	5	47.4 : 1	5.13	4.42	3.52	69.0
의과대학	의학과	10	468.5 : 1	4.49	2.73	1.75	60.3

(ㄷ) 2021학년도 논술 전형 결과

모집단위	2021학년도									
	모집인원	지원인원	경쟁률	충원합격 예비번호	최종등록자 논술점수			최종등록자 학생부등급		
					최고	평균	최저	최고	평균	최저
기계공학과	17	634	37.29 : 1	5	71.0	57.0	52.0	2.56	4.27	6.08
화학공학과	10	450	45 : 1	8	75.5	57.3	48.0	1.79	3.25	4.39
신소재공학과	6	238	39.67 : 1	2	63.5	56.3	52.0	2.82	3.37	3.91
환경안전공학과	5	133	26.6 : 1	0	52.5	48.1	42.0	2.96	3.98	5.08
교통시스템공학과	5	128	25.6 : 1	3	83.0	58.4	48.5	3.32	4.96	6.22
건축학과	13	397	30.54 : 1	3	67.5	49.9	42.0	2.98	4.40	7.09
전자공학과	50	2,061	41.22 : 1	24	93.0	82.9	78.0	2.35	4.00	6.43
소프트웨어학과	10	525	52.5 : 1	1	93.5	87.3	84.0	2.69	4.10	5.70
수학과	16	348	21.75 : 1	6	66.0	56.5	51.0	2.28	4.01	4.88
생명과학과	5	235	47 : 1	2	56.0	50.6	45.5	2.09	3.41	5.50
의학과	10	2,488	248.8 : 1	2	59.5	45.3	39.5	1.81	3.09	5.98

2. 논술 분석

구분	자연계열	
출제 근거	고교 교육과정 내 출제	
출제 범위	자연계열 [수리논술] 단, 의학과는 생명과학1,2	수학, 수학Ⅰ, 수학Ⅱ, 미적분
논술유형	- 수리논술	
문항 수	- 2문항 (하위 세부 소문항 포함)	
답안지 형식	- 밑줄형 (문항별 A3 1페이지 이내)	
고사 시간	120분	

1) 출제 구분 : 계열 구분

2) 출제 유형 : 수리논술

3) 출제 경향 :

- 수리적 분석력, 응용력, 창의력을 측정하는 문제 출제
- 고교 교육과정을 정상적으로 이수한 학생의 경우 해결할 수 있는 수준의 다양한 수학적 주제를 다룸
- 답이 틀려도 풀이 과정이 옳으면 상당한 부분점수를 부여함
- 공식을 암기하여 풀 수 있는 문제는 출제하지 않음
- 영어 제시문은 출제하지 않음

3. 출제 문항 수

구분	자연계
문항수	2문항 (문항별 세부문제 출제)

4. 시험 시간

· 120분

5. 논술 채점 기준

<예 : 2023년 수시 논술 : 오후>

[문제 2-1] (20점) 제시문 (가)를 읽고 물음에 답하라.

(1) 함수 $f(x)=x^3-3ax+a$에 대하여 방정식 $f(x)=0$이 닫힌구간 $[-2,\ 2]$에서 서로 다른 세 실근을 가 지도록 하는 실수 a의 값의 범위를 구하라.

(2) 함수 $f(x)=x^3-3ax+2$에 대하여 닫힌구간 $[-2,\ 2]$에서 $|f(x)|$의 최댓값이 가장 작아지도록 하는 실수 a의 값과 그때의 $|f(x)|$의 최댓값을 구하라.

[문제 2-2] (30점) 제시문 (나)를 읽고 물음에 답하라.

(1) 함수 $F(x)=x^4+ax^2+b$에 대하여 방정식 $F(x)=0$은 서로 다른 네 실근을 가지고 모든 실근의 절댓값이 양수 A보다 크다고 하자. 방정식 $F'(x)=0$의 0이 아닌 실근의 절댓값이 A보다 크다는 것을 증명하라. (단, a, b는 상수)

(2) 함수 $F(x)=x^4-x^2+c$에 대하여, 방정식 $F(x)=0$이 서로 다른 네 실근 p, q, r, s $(p<q<r<s)$를 가지고 $\int_p^s F(x)dx=0$을 만족할 때, 상수 c를 구하라.

(3) 함수 $G(x)=x^4-4x^3+9x-\frac{11}{2}$에 대하여, 다음 <조건>을 만족하는 일차함수 $L(x)$를 구하라.

〈조건〉

① $F(x)=x^4+ax^2+b$(단, a, b는 상수)

② $G(x)=F(x-m)+L(x)$(단, m은 상수)

③ 방정식 $G(x)-L(x)=0$이 서로 다른 네 실근을 가지고, 가장 큰 실근 t에 대하여

$$\int_m^t (G(x)-L(x))dx=0$$

<예 : 2023년 수시 논술 : 오후 채점기준>

하위문항	채점 기준	배점
[2-1] (1)	$0<a<4$ 임을 구함	2점
	$a>\frac{1}{4}$임을 구함	3점
	$a\le\frac{8}{7}$임을 구함	3점
	$\frac{1}{4}<a\le\frac{8}{7}$임을 구함	2점
[2-1] (2)	a값의 범위에 따라 구간을 나눔	1점
	$\lvert f(-2)\rvert$, $\lvert f(-\sqrt{a})\rvert$, $\lvert f(\sqrt{a})\rvert$, $\lvert f(2)\rvert$정확하게 계산	1점
	$a<0$이거나 $a\ge4$일 때 $\lvert f(x)\rvert$의 값이 4보다 크다는 것을 확인	2점

	$0<a<4$이고 $a\neq 1$일때 $\lvert f(x)\rvert$의 값이 4보다 크다는 것을 확인	3점
	$a=1$일 때 $\lvert f(x)\rvert$의 최댓값이 가장 작음을 관찰	2점
	$a=1$일 때 $\lvert f(x)\rvert$의 최댓값이 4임을 확인	1점
[2-2] (1)	이차방정식 $f(t)=t^2+at+b=0$의 두 근이 A^2보다 크다는 것을 확인	2점
	$-a>2A^2$임을 확인	3점
	$F'(x)=0$의 0이 아닌 실근의 절댓값이 $\sqrt{-\frac{a}{2}}$이고 A보다 크다는 것을 확인	5점
[2-2] (2)	이차방정식 $f(x)=x^2-x+c=0$의 서로 다른 두 실근이 r^2, s^2임을 확인	2점
	$\int_{-s}^{s}(x^4-x^2+c)dx=0$의 적분을 풀어 식을 얻음	3점
	$s^2=\frac{5}{6}$을 구함	3점
	$c=\frac{5}{36}$로 답을 구함	2점
[2-2] (3)	$m=1$을 구함	2점
	$a=-6$와 $L(x)$의 일차항의 계수가 1임을 구함	1점
	$b=5$혹은 $t=1+\sqrt{5}$를 구함	5점
	일차함수 $L(x)=x-\frac{11}{2}$임을 구함	2점

① 각 문항 및 하위 문항별 채점

② 문항별 단계를 적용하여 각 단계에 해당하는 점수를 적용

③ 부분점수가 부여되므로 문항을 끝까지 풀이하는 것도 중요하지만, 수험생이 할 수 있는 최선을 노력을 답안에 표현하는 것이 필요

6. 논술 유의사항

① 논술 답안은 검정색 볼펜으로만 작성하십시오. (빨강이나 파랑색 사용금지)

② 답안지의 문항번호를 확인 후 답안을 작성하십시오.

: 반드시 해당 문항과 일치하여야 함

③ 해당 답안지의 문항 범위 내에서 작성하여야 합니다.

Ⅱ. 기출문제 분석

1. 출제 경향

학년도	교과목	질문 및 주제
2024학년도 수시 논술 오전	수학, 수학Ⅰ, 수학Ⅱ, 미적분	로그함수, 삼각함수, 극값, 정적분, 극한
	수학, 수학Ⅰ	일대일대응, 상수함수, 합성함수, 명제, 합의 기호 $\sum$
2024학년도 수시 논술 오후	수학Ⅱ, 미적분	미분법, 정적분, 적분과 미분의 관계, 합성함수의 미분법, 매개변수로 나타낸 함수의 미분법, 움직인 거리
	수학	경우의 수, 순열, 조합, 명제, 귀류법
2023학년도 수시 논술 오전	수학, 수학 Ⅰ, 수학Ⅱ	공차, 등차수열, 등차중항, 공비, 등비수열, 등비중항
	수학, 수학Ⅰ, 미적분	절대부등식, 수열의 합, 삼각함수의 극한, 삼각함수의 덧셈정리, 치환적분법
2023학년도 수시 논술 오후	수학, 수학Ⅰ, 수학Ⅱ. 미적분	평균값 정리, 극댓값, 상용로그, 합성함수, 정적분, 급수의 합, 등비급수,
	수학, 수학Ⅱ	필요충분조건, 극대와 극소, 최댓값, 최솟값, 정적분
2022학년도 수시 논술 오전	수학, 수학 Ⅰ, 미적분	귀류법, 시초선, 동경, 일반각, 호도법, 라디안, 사인법칙, 주기, 덧셈정리
	수학 Ⅱ, 미적분	수렴, 극한(값), 발산, 무한대, 정적분, $\lim_{x \to a+} f(x)$, $\int_a^b f(x)dx$
2022학년도 수시 논술 오후	수학, 수학Ⅰ, 수학Ⅱ, 미적분	합의 법칙, 수열, 수학적 귀납법, 수렴, 사잇값 정리, 도함수, 그래프의 개형, 수열의 극한
	수학Ⅰ, 수학Ⅱ, 미적분	삼각함수, 함수의 극한, 그래프의 개형, 롤의 정리, 정적분, 급수, 삼각함수의 극한, 이계도함수, 치환적분법
2021학년도 수시 논술 오전	수학 Ⅰ, 수학Ⅱ, 미적분	삼각함수, 그래프의 개형, 수열의 합, $\sum$의 성질, 자연 상수 e, 함수의 극한, 연속함수, 닫힌구간, 열린구간, 최대·최소 정리, 사잇값 정리, 부정적분, 합성함수 미분, 치환적분
	수학 Ⅰ, 수학 Ⅱ, 미적분, 확률과통계	경우의 수, 순열과 조합, 수렴, 발산, $\sum$의 성질, 자연 상수 e, 정적분, 급수, 급수의 합, 수열의 극한,

<table>
<tr><th>학년도</th><th>교과목</th><th>질문 및 주제</th></tr>
<tr><td rowspan="2">2021학년도
수시 논술
오후</td><td>수학 Ⅰ, 수학 Ⅱ,
미적분</td><td>미분가능, $\sum$의 성질, 자연 상수 e,
접선의 성질, 삼각함수의 미분, 함수의 최댓값,
미분가능, 그래프의 개형, 정적분</td></tr>
<tr><td>수학 Ⅰ,
확률과통계</td><td>수열의 합, 합의 법칙, $\sum$의 성질, 경우의 수,
순열과 조합, 확률, 기댓값, 분산, 조건부 확률</td></tr>
<tr><td rowspan="2">2021학년도
수시 논술
저녁</td><td>수학 Ⅱ, 미적분</td><td>등비수열, 미분가능, 그래프의 개형, 극솟값,
극댓값, 변곡점, 정적분, 사잇값 정리, 급수,
급수의 합,</td></tr>
<tr><td>수학 Ⅰ, 확률과통계</td><td>로그, 경우의 수, 확률, 독립시행, 이항정리,
이항분포의 평균과 분산, 순열과 조합,
조건부 확률</td></tr>
</table>

2. 출제 의도

학년도	출제의도
2024학년도 수시 논술 오전	[문제 1-1] 함수의 최댓값, 최솟값 및 극값을 갖는 x의 값을 구할 수 있는지를 평가하는 문제이다. [문제 1-2] 삼각함수의 값, 정적분의 값 및 함수의 극한을 구할 수 있는지를 평가하는 문제이다.
	[문제 2-1] 상수함수의 의미를 이해하여 합성함수의 함숫값을 구할 수 있는지를 평가하는 문제이다. [문제 2-2] 주어진 조건을 만족시키는 함수를 구할 수 있는지를 평가하는 문제이다. [문제 2-3] 주어진 명제를 참이 되도록 하는 함수를 구할 수 있는지를 평가하는 문제이다.
2024학년도 수시 논술 오후	[문제 1-1] 주어진 도형의 특징을 올바르게 이해하고, 정적분을 이용하여 넓이를 계산하거나 미분을 활용하여 순간변화율 및 최솟값을 계산할 수 있는지를 평가한다. [문제 1-2] 점의 좌표를 매개변수로 나타낸 함수로 표현하고, 평면운동을 하는 점의 움직인 거리를 올바르게 계산할 수 있는지를 평가한다.
	[문제 2-1] 주어진 조건을 만족하는 순열 및 조합을 활용하여 경우의 수를 구할 수 있는지 평가한다. [문제 2-2] 주어진 조건을 만족하는 카드 배열을 찾는 과정에서 효율적으로 경우를 나누어 논리적으로 함수 또는 카드 배열의 수를 추론할 수 있는지 평가한다.
2023학년도 수시 논술 오전	[문제1] 등차수열, 등비수열의 개념을 이해하고, 등차중항, 등비중항을 이용하여 주어진 수열항의 값을 계살할 수 있는지를 평가한다. 또한, 등비수열의 합을 구하고, 문제에 주어진 조건을 이해하여 함수의 그래프 개형을 추론할 수 있는지도 평가하였다.
	[문제2] 절대 부등식을 이용하여 부등식을 증명하고, 직선의 기울기를 tan를 이용하여 표현하고 tan의 덧셈정리를 이용하여 수열의 합을 계산할 수 있는지 평가하였다. 또한 함수가 어떤 직선에 대칭일 조건을 이해하고, 이를 활용한 정적분을 계산할 수 있는지도 평가했다.
2023학년도 수시 논술 오후	[문제1] 주어진 사차함수의 극값들에 대한 조건들을 통해 함수식을 찾고 상용로그의 성질을 활용하여 식을 표현할 수 있는지 평가한다. 또한 정적분을 이해하여, 함수에 대한 평균값 정리를 활용할 수 있는지도 평가하였다. 치환적분법을 활용하여 삼각함수의 정적분을 계산할 수 있는지 평가한다. 그리고 함수에 대한 미분가능성을 이해하여 복잡한 상황에서 경우의 수를 통해 해결할 수 있는지도 평가했다.

학년도	출제의도
	[문제2] 삼차방정식이 닫힌구간에서 서로 다른 세 실근을 갖기 위해 만족해야 하는 경우를 나누어 설명하고, 닫힌구간에서 미지수가 포함된 삼차함수의 최댓값에 대해 극대와 극소가 모두 존재하는 경우와 그렇지 않은 경우를 나누어 확인할 수 있는지 평가한다. 사차함수의 1차항, 3차항의 계수가 0인 경우 서로 다른 네 실근과 도함수에 대한 실근의 크기를 판별할 수 있는지와 사차함수에 대한 정적분의 계산을 살펴보았고, 주어진 사차함수를 홀수항의 계수가 0인 함수와 직선의 합으로 표현할 수 있음을 이해하고, 그 함수와 직선을 찾아낼 수 있는지 평가한다.
2022학년도 수시 논술 오전	[문제1] 사각형 또는 삼각형의 도형을 잘 관찰하고, 사인법칙, 덧셈정리, 피타고라스 정리를 잘 활용할 수 있는지를 평가한다. 문제에 주어진 상황을 수학적으로 표현한 후 답을 찾아가는 관찰을 잘 할 수 있는지를 평가한다.
	[문제2] 상황에 따라 변하는 양들 사이의 관계를 알아차릴 수 있는지와 삼각함수의 연속성을 이용할 수 있는지를 평가한다. 연결되어 있는 양들을 하나의 양으로 표현할 수 있는지와 극한값을 잘 구할 수 있는지를 평가한다. 간단한 정적분을 할 수 있는지와, 앞선 문제로부터의 정보를 이용하여 극한값을 찾을 수 있는지를 평가한다.
2022학년도 수시 논술 오후	[문제1] 제시문에 주어진 수열의 성질을 이해하고 이를 활용하여 수학적 귀납법과 극한 문제를 해결할 수 있는지 평가한다. 제시문에 주어진 수열의 성질을 이해하고 함수의 그래프를 활용해 부등식을 해결할 수 있는지 평가한다.
	[문제2] 제시문의 함수의 성질을 이해하고 정적분과 급수 문제를 해결할 수 있는지 평가한다. 제시문의 함수의 성질을 이해하고 정적분, 극한, 최댓값 문제를 해결할 수 있는지 평가한다.
2021학년도 수시 논술 오전	[문제1] 제시문의 상황을 통해 연속함수의 성질을 이해하고 이를 활용하여 문제를 해결할 수 있는지 평가한다. 제시문의 함수의 성질을 이해하고 부정적분과 함수의 연속성을 활용할 수 있는지 평가한다.
	[문제2] 제시문에서 주어진 경우의 수의 규칙을 이해하고 이를 통해 수열의 합을 구하고 문제를 해결할 수 있는지 평가한다. 수열의 수렴과 발산을 판단하고 문제를 해결할 수 있는지 평가한다. 제시문의 함수의 성질을 확인하고 이를 통해 삼각함수의 정적분과 도형의 넓이 문제를 해결할 수 있는지 평가한다.

학년도	출제의도
2021학년도 수시 논술 오후	[문제1] 제시문을 통해 주어진 함수의 성질을 이해하고 이를 활용하여 다항함수의 정적분 문제를 해결할 수 있는지 평가한다. 제시문에 주어진 함수의 접선의 성질을 이해하고 두 직선이 이루는 각의 삼각함수 값을 구할 수 있는지 평가한다. 함수의 성질과 미분을 활용하여 함수의 최댓값 문제를 해결할 수 있는지 평가한다.
	[문제2] 주어진 상황에 대한 경우의 수를 구할 수 있는지 확인하고 순열과 조합을 이해하고 이를 활용하여 확률을 구할 수 있는지 평가한다. 주어진 상황을 전략적으로 분석하여 기댓값과 분산을 구할 수 있는지 확인하고 경우의 수를 이용한 수열의 합 문제를 해결할 수 있는지 평가한다.
2021학년도 수시 논술 저녁	[문제1] 제시문의 내용을 이해하고 미분가능한 함수에서 주어진 조건을 활용하여 극댓값과 극솟값을 확인하여 정적분을 구할 수 있는지 평가한다. 주어진 조건을 활용하여 정적분의 값을 구하고 주어진 함수의 성질을 만족시키는 조건을 확인하여 등비급수를 구할 수 있는지 평가한다.
	[문제2] 제시문에 주어진 규칙을 이해하고 이에 대한 조건부확률 값과 기댓값, 표준편차를 구할 수 있는지 평가한다. [문제 2-2] 제시문에 주어진 조건에 맞는 기댓값, 표준편차를 확인하여 경우의 수를 구할 수 있는지 평가한다.

3. 기출 연도별 교육과정 내용

학년도별 출제 여부 고등학교 교육과정 내용			2015 개정 교육과정											
교과목	영역	내용	24 수시 오전	24 수시 오후	24 모의	23 수시 오전	23 수시 오후	23 모의	22 수시 오전	22 수시 오후	22 모의	21 수시 오전	21 수시 오후	21 수시 저녁
수학	다항식	다항식의 연산												
		나머지정리												
		인수분해												
	방정식과 부등식	복소수와 이차방정식												
		이차방정식과 이차함수						○			○			
		여러 가지 방정식												
		여러 가지 부등식				○		○						
	도형의 방정식	평면좌표									○			
		직선의 방정식												
		원의 방정식	○			○								
		도형의 이동												
	집합과 명제	집합			○									
		명제	○		○				○	○				
	함수	함수	○		○		○							
		유리함수와 무리함수												
	경우의 수	경우의 수		○	○		○			○	○	○	○	○
수학 I	지수함수와 로그함수	지수												
		로그					○							○
		지수함수와 로그함수	○											○
	삼각함수	삼각함수	○			○			○	○			○	
		사인법칙과 코사인법칙	○						○	○			○	
	수열	등차수열과 등비수열	○		○	○					○		○	
		수열의 합				○					○	○	○	
		수학적 귀납법			○					○				

수학 Ⅱ	함수의 극한과 연속	함수의 극한					○	○	○		○	○		
		함수의 연속	○	○			○	○		○		○	○	○
	미분	미분계수와 도함수								○	○	○	○	○
		도함수의 활용			○					○				○
	적분	부정적분과 정적분		○								○	○	
		정적분의 활용		○					○			○		
미적분	수열의 극한	수열의 극한	○		○		○			○		○		○
		급수					○			○				○
	미분법	여러 가지 함수의 미분						○	○			○	○	○
		여러 가지 미분법		○				○	○				○	○
		도함수의 활용		○				○		○				
	적분법	여러 가지 적분법	○		○		○	○		○		○		○
		정적분의 활용	○			○	○	○	○		○			○

III. 논술이란?

1. 논술이란?

1) 논술이란?

어떤 문제에 대해 자기 나름의 주장이나 견해를 내세운 다음, 여러 가지 근거를 제시하여 그 주장이나 견해가 옳음을 증명하는 글쓰기 활동을 말한다. 따라서 논술의 가장 기본적인 요소는 주장과 근거이다. 다시 말해 어떤 주제에 관해서 자신의 견해를 밝히고 자기 의견을 내세우는 글이 바로 논술이다. 때문에 논술은 특별히 논리적이어야 한다는 요구를 받게 된다. 왜냐하면 여러 가지 의견이 있을 수 있는 문제에 대해 자신의 의견을 세워 다른 사람을 설득하려면, 그 주장이 충분한 근거 위에서 논리적으로 개진될 때만 가능하기 때문이다.

2) 대한민국 논술고사는?

한국에서의 대학 입시 논술고사는 실제 교과 과정과 교과서가 기본이 되어 응용된 사고와 풀이 능력과 지식을 바탕으로 한다. 논술고사는 일반적을 비판적으로 글을 읽는 능력과 창의적으로 문제를 설정하고 해결하는 능력 그리고 논리적으로 서술하는 능력을 종합적으로 평가하는 시험이다. 비판적으로 글을 읽는다는 것은 능동적으로 자신의 관점에서 글을 읽는 것을 말하며, 창의적으로 문제를 설정하고 해결하는 능력이란 심층적이고 다각적으로 논제에 접근함으로써 독창적인 사고와 풀이를 이끌어낼 수 있는 능력을 말한다. 그리고 논리적 서술 능력은 글 구성 능력, 근거 설정 능력, 표현 능력 등을 포괄한다.

3) 자연계 논술? 그리고 그 변화

모든 글은 일반적으로 3가지 종류로 나뉘어진다. 시, 소설 등 문학 작품과 같은 글쓰기인 창작적 글쓰기(creative writing)와 설명문이나 해설문의 글쓰기는 해명적 글쓰기(expository writing), 그리고 논설문의 글쓰기인 비판적 글쓰기(critical writing)가 있다. 이 글쓰기 중 대한민국의 대학입시에서 시행되고 있는 자연계 논술은 창작적 글쓰기는 포함되지 않는다. 새로운 문학 작품을 쓰는게 아니라 제시문을 읽고 내용을 구체화시켜 잘 설명하는 설명문의 형태가 있고, 주어진 문제에 대해 생각하고 깊이있는 주장을 피력하는 비판적 글쓰기도 있다.

2. 논술의 기본 용어

1) 논제 : 논술의 문제를 의미한다.

반드시 해결하고 접근하여야 할 논술 시험의 대상이다.

(ㄱ) 중심 논제 : 채점할 때 가장 배점이 높으며, 핵심적으로 해결해야 할 논술의 문제

(ㄴ) 세부 논제 : 큰 논제 속에 포함된 작은 문제, 각 단계별 채점의 기준이 되며 세부 채점 항목으로 필수 해결 항목이다.

2) 논거 : 논술에서 설명하고 주장하는 논리적인 근거 혹은 이유

3) 주장 : 수험생이 생각하고 채점자에게 알리고 싶은 생각

4) 제시문 : 보기 지문을 말한다.

(ㄱ) 출제자가 논제 해결을 위해 보여주는 다양한 글

(ㄴ) 각종 그래프, 도표, 그림 등

자료가 정해져 있지는 않다. 하지만 고등학교 교과서를 가장 많이 인용하고, 고등학교 교과 과정으로 분석하고 판단할 수 있는 내용을 제시한다.

5) 개요 : 논제에 맞게 더 구체적으로는 세부 논제에 맞게 글의 진행 방향을 간략하게 정리하는 과정이다.

4. 논술의 명령어

논술고사 후 대학의 발표 자료를 보면 논술은 출제자의 의도에 부합하게 글을 써야 한다고 강조한다. 그런데 출제자의 의도를 파악하는 것은 자칫 상당히 모호하고 주관적인 것으로 판단하기 쉽다.

하지만 자연계 논술에서는 명령어가 한정되어 있다. 그 명령어들을 잘 익히고 의미를 파악한다면 훨씬 논술의 이해가 높아질 것이다. 또한 대학의 채점 기준에는 명령어의 요구 조건을 충족하는지를 평가한다. 그러므로 자연계 논술의 명령어는 수험생에게는 아주 기초적이지만 필수적이며 절대 잊지 말아야 할 중요한 핵심이다.

1) ~ 에 대해 논술하시오.

; 주장을 밝히고 근거를 제시한다.

2) ~ 에 대해 설명하시오.

: 사실, 주장 등을 쉽게 풀어서 밝힌다.

- **~ 제시문 간의 관련성을 설명하시오.**
- **~ 제시문의 논리적 타당성과 문제점을 설명하시오.**
- **~ 제시문을 참고하여 주어진 자료의 특징을 설명하시오.**
- **~ 제시문의 관점에서 왜 그런 현상이 생기는지 그 이유를 설명하시오.**

3) ~ 의 비교하시오. 혹은 대조하시오.

: 공통점과 차이점을 중심으로 설명한다.

- **~ 공통점과 차이점을 설명하시오.**

4) ~ 을 분석하시오.

: 주제를 구성요소로 나누고 각 부분의 의미와 상호관계를 밝힌다.

5) ~ 제시문과 주어진 자료를 참고하여 현상을 예측해 보시오.

: 주어진 자료를 해석하고 자료로부터 얻을 수 있는 시간에 따른 변화나 자료의 발생 이유를 살핀다.

6) ~ 제시문의 문제점을 지적하고 그 문제점을 해결할 방법을 제시하시오.

: 보통은 수학이나 과학의 역사에서 발생했던 여러 오류나 실험과정에서 나타난 문

제점을 가지고 있다. 또한 이론이나 실험, 학생의 실험보고서 등과 같이 확실한 오류가 있는 제시문을 주기도 한다. 분명히 문제점을 파악하여 답안에 서술하고 문제점이나 해결할 수 있는 방법 등을 명확히 하여야 한다.

● ~ 제시문의 관점에서 왜 그런 현상이 생기는지 그 원리를 설명하고 그런 현상을 예방할 수 있는 방안을 제시하시오.
● ~ 문제점을 지적하고 합리적 대안을 제안해 보시오.
● ~ 주어진 관점을 검증할 수 있는 방법을 논하시오.
● ~ 주어진 문제점을 해결할 수 있는 실험을 설계해 보시오.

7) 제시문의 관점에서 주장을 비판하시오.

: 어떤 주장의 타당성이나 가치 등을 평가한다.

5. 자연계 논술 글쓰기 유의사항

① 논제의 해결이 핵심이다. 출제자가 원하는 답을 써야 한다.

② 논제에 부합하는 글을 일관성 있게 써야 한다.

③ 한편의 글을 완성하여야 한다. 나열하거나 사례를 보여주는 것은 의미가 없다.

④ 제시문을 활용, 인용하는 것과 제시문을 그대로 옮겨 쓰는 것은 다르다. 적절하게 제시문의 내용을 사용하여 논제를 해결하여야 한다. 절대 제시문의 문장을 그대로 쓰면 안 된다. 금기사항이고 감점요인이다.

⑤ 부적절한 문장 즉, 비문을 만들지 말아야 한다. 주어와 서술어가 적절하게 있어 문장의 의미를 명확히 전달하여야 한다. 주어를 생략하거나 지시어를 과도하게 사용하면 문장의 의미가 모호해 진다.

⑥ 문장은 짧고 간결하게 써야 한다. 자신의 의견을 명확히 간결하고 효과적으로 밝혀야 한다.

6. 논술 확인 사항

① 시간의 제한이 시험이다. 논술 시험은 자유롭게 글을 쓴다고 생각하고 주어진 시간을 체크하지 않는 경우가 정말 많다. 대학별로 요구하는 시간에 알맞게 답안을 구성해야 한다.

② 문단의 구성, 맞춤법, 띄어쓰기 등을 무시하면 절대 안 된다. 글쓰기의 기본은 의미의 전달 과정임으로 효율적인 연습과 준비가 되어 있어야 한다.

③ 습관적으로 물어보는 의문문, 같이 할 것을 제안하는 청유형은 사용하지 않는 것이 좋다. 문법의 오류가 아니라 격을 떨어뜨리고 글을 단조롭고 어색한 글 전개가 될 가능성이 높다.

④ 500자 미만이면 서론에 해당하는 도입과정은 과감히 생략하고 바로 논점으로 들어간다.

⑤ 한국어에는 수동태가 없다. 그러나 워낙 영어 번역하며 많이 사용하다 보니 논술

답안에도 수험생들이 자주 사용한다. 문법에 맞는 효과적인 표현이 필요하다. 학생이 수험생이 대학의 논술 고사에 응시하고 답안지에 논술 답안을 쓰는 것이다. 대학의 논술 답안지가 수험생으로부터 답안으로 쓰여지는 것이 아니다.

⑥ 많은 수험생들은 착각을 한다. 논술을 멋진 글쓰기라고 생각해 감상적이거나 비유적인 표현도 많이 사용한다. 그런데 오히려 이러한 표현은 채점자가 수험생의 사고능력 파악이 힘들어지고, 오히려 논제 해결을 했는지 판단하는데 혼동을 준다. 또한 일상에서 사용하는 구어체도 사용하면 안 된다. 논술은 글쓰기에서 쓰는 조금 딱딱한 문어체를 사용하는 것이다.

⑦ 아무리 강조해도 글씨의 중요성은 지나치지 않을 것이다. 채점하는 교수님들의 한결같은 큰 애로점은 이해할 수 없는 학생의 글씨라고 한다. 글씨체를 갑자기 바꿀 수 없지만 타인이 알 수 있게 규칙적으로 줄을 맞춰 쓰고, 분량에 맞는 큰 글씨로, 흘려 쓰지 않는 정자체로 답안을 작성하여야 한다.

IV. 자연계 논술 실전

1. 각 대학별 논술 유의사항을 파악하라!

많은 대학에서 글자수 제한을 확인하여야 한다. 그래서 원고지 형이 많지만, 문항별 칸을 만들거나 밑줄 답안 형식도 있다. 논술 시험 시간은 각 대학별로 다양하다. 60분 즉, 한 시간을 시작으로 많게는 2시간까지 (120분)까지 다양하게 있다. 대학별로 준비해야 하는 중요한 이유이다. 답안을 작성하는 필기구도 다양하다. 연필(샤프펜)의 사용이 꾸준히 증가하지만 아직까지 검정색 볼펜이나 청색 볼펜으로 사용하는 학교도 많다. 주의할 것은 수정법이다. 수정은 학교에 따라 수정액, 수정테이프의 사용을 제한하는 경우도 있고 틀리면 두줄을 긋고 써야 하는 곳도 있다. 그러므로 각 대학별 특징을 파악하고, 미리 답안 작성 연습은 물론이고 작성할 때도 대학별로 금지하는 내용을 숙지하고 시험장에 가야 한다.

각 대학별 유의사항 사례

사례 1)

가. 답안은 한글로 작성하되, 글자수 제한은 없다.

나. 제목은 쓰지 말고 특별한 표시를 하지 말아야 한다.

다. 제시문 속의 문장을 그대로 쓰지 말아야 한다.

라. 반드시 본 대학교에서 지급한 필기구를 사용하여야 한다.

마. 수정할 부분이 있는 경우 수정도구를 사용하지 말고 원고지 교정법에 의하여 교정하여야 한다.

바. 본 대학교에서 지급한 필기구를 사용하지 않거나, 수정도구를 사용한 경우, 답안지에 특별한 표시를 한 경우, 또는 원고지의 일정분량 이상을 작성하지 않은 경우에는 감점 또는 0점 처리한다.

사례 2)

Ⅰ. 필요한 경우 한 개 또는 여러 개의 제시문을 선택하여 논의를 전개하고, 사용한 제시문은 꼭 참고문헌 형태로 표시하시오.

예) …[제시문 1-4].

예) …되며[제시문 2-4], …의 경우는 ~을 보여준다[제시문 2-1].

Ⅱ. [문제 1]부터 [문제 4]까지 문제 번호를 쓰고 순서대로 답하시오.

Ⅲ. 연필을 사용하지 말고, 흑색이나 청색 필기구를 사용하시오.

Ⅳ. 인적사항과 관련된 표현을 일절 쓰지 마시오.

Ⅴ. 문제당 배점은 동일함.

사례 3)

◇ 각 문제의 답안은 배부된 OMR 답안지에 표시된 문제지 번호에 맞춰 작성하시오.

◇ 각 문제마다 정해진 글자수(분량)는 띄어쓰기를 포함한 것이며, 정해진 분량에 미달하

거나 초과하면 감점 요인이 됩니다.
◇ 답안지의 수험번호는 반드시 컴퓨터용 수성 사인펜으로 표기하시오.
◇ 답안은 검정색 필기구로 작성하시오. (연필 사용 가능)
◇ 답안 수정시 원고지 교정법을 활용하시오. (수정 테이프 또는 연필지우개 사용 가능)
◇ 답안 내용 및 답안지 여백에는 성명, 수험번호 등 개인 신상과 관련된 어떤 내용, 불필요한 기표하면 감점 처리됩니다.

사례 4)
◆ 답안 작성 시 유의사항 ◆
□ 논술고사 시간은 90분이며, 답안의 자수 제한은 없습니다.
□ 1번 문항의 답은 답안지 1면에 작성해야 하고, 2번 문항의 답은 답안지 2면에 작성해야 합니다. 1, 2번을 바꾸어 작성하는 경우 모두 '0점 처리'됩니다.
□ 연습지는 별도로 제공하지 않습니다. 필요한 경우 문제지의 여백을 이용하시기 바랍니다.
□ 답안은 검정색 또는 파란색 펜으로만 작성하며 연필, 샤프는 사용할 수 없습니다.
□ 답안 수정은 수정할 부분에 두 줄로 긋거나 수정테이프(수정액은 사용 불가)를 사용해서 수정합니다.
□ 답안지에는 답 이외에 아무 표시도 해서는 안 됩니다.
□ 답안지 교체는 고사 시작 후 70분까지 가능하며, 그 이후는 교체가 불가합니다.

2. 제시문에 먼저 눈을 두지 말고 문제를 파악하라!!!

대학별 고사인 논술의 어려운 점은 시간의 제한이 있는 글쓰기 시험이라는 것이다. 자유롭게 잘 쓸 수 있는 내용일지라도 시간의 제한이 있으면 얘기가 달라진다. 특히 지금과 같이 각 대학별로 다양하게 등장하는 시험에 익숙하지 않은 수험생에게는 더 큰 부담으로 작용을 한다.

대학에서는 다양하게 제시문과 문제를 분포시킨다. 문제를 등장시키고 제시문이 등장하는 경우, 그림과 도표, 그래프 등과 같이 자료를 제시하고 제시문과 문제를 함께 등장시키는 경우, 제시문을 많이 등장시키고 마지막에 문제를 제시하는 경우 등... 이렇듯 다양한 문제에 시간의 적절한 활용은 대학별 고사의 실전에서는 당락을 결정하는 중요 요소이다.

이러한 실전적 논술에서 핵심은 바로 목적을 가지고 제시문의 읽기가 선행되어야 한다. 글 읽기의 핵심은 문제을 통해 논제를 구체적으로 파악하고 그 논제에 부합하게 제시문을 분석하는 것이다.

① 문제를 먼저 확인하라!! - 제시문을 읽고 문제를 보면 다시 긴 제시문을 또 읽어 시간을 낭비한다.
② 세부 논제 확인하라!! - 한 문제라도 그 문제 속에 다루는 논제는 여러 개가 될 수 있

다. 그 질문 내용을 파악하라. 그리고 요구한 논제에 맞게 글을 구성한다.
③ 전제적 요건 파악하라!! - 각 문제의 전제적 요건 및 글로 표현된 부연 설명 등이 중요한 키워드가 될 수 있다.

V. 아주대학교 기출

1. 2024학년도 아주대 수시 논술 (오전)

[문항 1] (50점) 다음 제시문을 읽고 문제에 답하시오.

(가) 두 함수 $f(x)$와 $g(x)$에 대하여 함수 $h(x)$의 값을 $f(x)$의 값과 $g(x)$의 값 중 작지 않은 값으로 정의하자. 예를 들어 $f(x)=\sin x$, $g(x)=\cos x$이면 $y=h(x)$의 그래프는 [그림 1]과 같다.

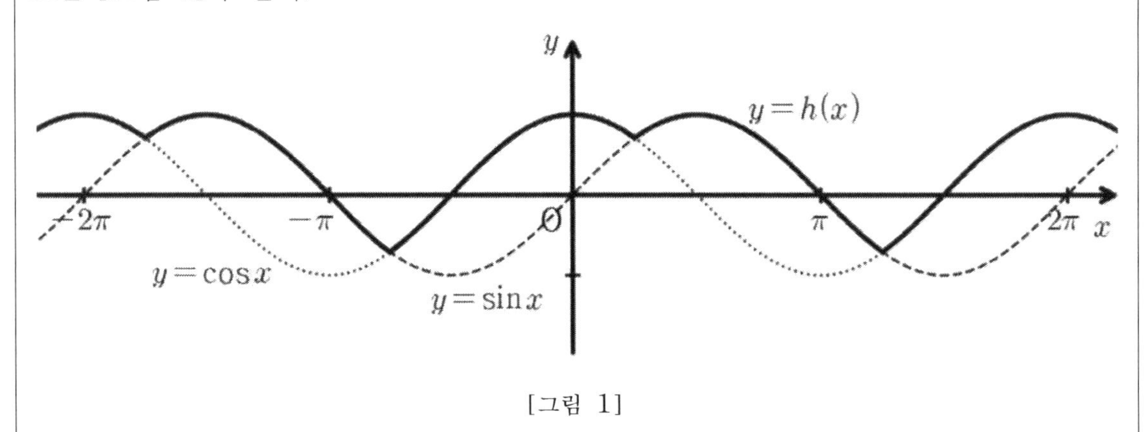

[그림 1]

(나) $0 \le t \le 1$인 실수 t에 대하여 직선 $y=t$와 원 $C: x^2+y^2=1$이 만나는 점을 x좌표가 크지 않은 순서대로 P와 Q라 하고 각 POQ의 크기를 $\theta(0 \le \theta \le \pi)$라 하자. 이때 $t=1$이면 점 P와 점 Q는 같은 점이며 $\theta=0$이다. [그림 2]의 색칠된 도형과 같이 원 C가 선분 PQ에 의하여 나뉘는 두 부분 중 윗부분의 도형을 생각하자. 이 도형의 넓이를 $A(\theta)$라 하고 둘레의 길이를 $B(\theta)$라 하자. (단, 각의 크기의 단위는 라디안이다.)

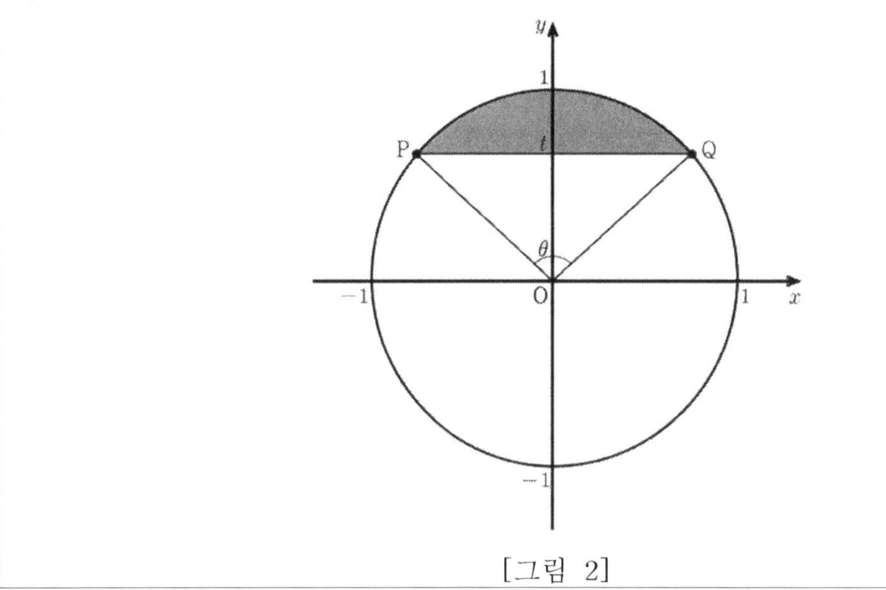

[그림 2]

[문제 1-1] (20점) 제시문 (가)를 읽고 물음에 답하시오.

(1) (8점) $f(x)=\dfrac{x^2}{2}-2$이고 $g(x)=\log_2 x$일 때, 닫힌구간 $[2,\ 3]$에서 $h(x)$의 최댓값과 최솟값을 구하시오.

(2) (12점) $f(x)=\sin 2x$이고 $g(x)=\dfrac{3}{4}\cos x$일 때, 열린구간 $(-\pi,\ \pi)$에서 함수 $h(x)$가 극솟값을 갖는 x의 값 중 가장 큰 값을 α라 하자. $\tan\alpha$의 값을 구하시오.

[문제 1-2] (30점) 제시문 (나)를 읽고 물음에 답하시오.

(1) (8점) $t=\dfrac{1}{3}$일 때, $\sin\theta$의 값을 구하시오.

(2) (10점) $\displaystyle\int_0^{\pi} A(\theta)d\theta$의 값을 구하시오.

(3) (12점) $\displaystyle\lim_{\theta\to 0+}\frac{B(\theta)}{\sin\theta}$의 값을 구하시오.

[문항 2] (50점) 다음 제시문을 읽고 문제에 답하시오.

공집합이 아닌 집합 X에 대하여 정의역과 공역이 같은 함수 $f: X \to X$가 있다. 이때 f가 상수함수이면 f를 '1-상수함수', $f \circ f$가 상수함수이면 f를 '2-상수함수', $f \circ f \circ f$가 상수함수이면 f를 '3-상수함수'라 하자. 이와 같은 방법으로 자연수 n에 대하여 'n-상수함수'를 정의하자.

예를 들어 $X = \{1,\ 2,\ 3\}$일 때 [그림 3]과 같은 대응으로 정의된 세 함수 f, g, h를 생각하자. 함수 f는 상수함수이므로 모든 자연수 n에 대하여 n-상수함수이다. 함수 g는 항등함수이므로 모든 자연수 n에 대하여 n-상수함수가 아니고, 함수 $h \circ h$는 함숫값이 3인 상수함수이므로 h는 2-상수함수이다.

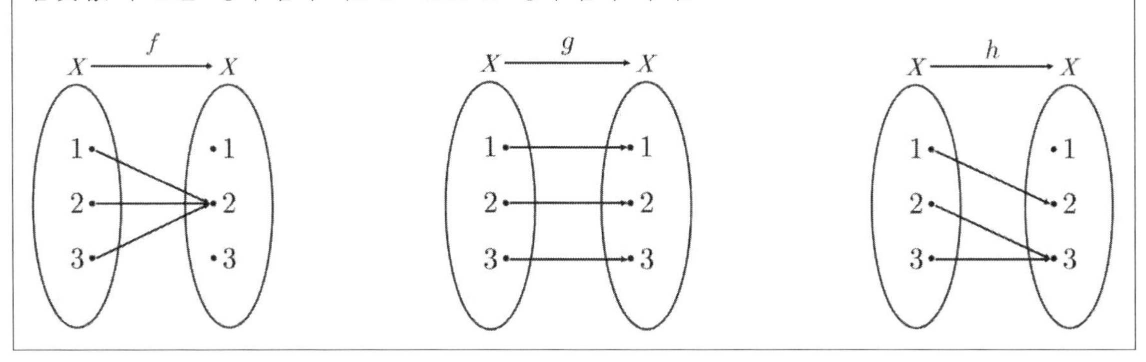

[문제 2-1] (20점) $X = \{n | n$은 자연수$\}$일 때 물음에 답하시오.

(1) (8점) 함수 $f: X \to X$는 $f(3) = 3$인 2-상수함수이다. 자연수 n에 대하여 $a_n = (f \circ f \circ f)(n)$이라 할 때, $\sum_{n=1}^{2024} a_n$의 값을 구하시오.

(2) (12점) 자연수 k에 대하여 함수 $f: X \to X$는 $f(n) = \begin{cases} n+3 & (n < k) \\ k+3 & (n \geq k) \end{cases}$라 하자.
f가 2-상수함수는 아니면서 3-상수함수가 되도록 하는 k를 모두 구하시오. (단, $k > 1$)

[문제 2-2] (15점) 집합 $X = \{1,\ 2,\ 3,\ 4\}$일 때, 다음 <조건>을 만족시키는 4-상수함수 $f: X \to X$를 모두 구하시오.

<조건>
① $(f \circ f \circ f \circ f)(1) = 4$ ② $f(1) \leq f(2) \leq f(3) \leq f(4)$

[문제 2-3] (15점) 집합 $X = \{1,\ 2,\ 3\}$일 때, 명제 '어떤 자연수 n에 대하여 함수 $g: X \to X$는 n-상수함수이다.'가 참이 되도록 하는 함수 $g: X \to X$의 개수를 구하시오.

아주대학교
AJOU UNIVERSITY

답안지(자연계)

지원 학과 (전공)

※감독관 확인란
(서명)

성 명

수 험 번 호

주민등록번호앞자리(예:940512)

- 유의사항 -

① 논술답안은 검정색 볼펜으로만 작성하십시오.(빨강이나 파랑색 사용금지)

② 답안지의 문항번호를 확인 후 답안을 작성하십시오.

1번 문항 (반드시 해당 문항과 일치하여야 함)

이 줄 아래는 답안 작성을 하지 말 것

이 줄 위에는 답안 작성을 하지 말 것

2번 문항 (반드시 해당 문항과 일치하여야 함)

이 줄 아래는 답안 작성을 하지 말 것

2. 2024학년도 아주대 수시 논술 (오후)

[문항 1] (50점) 다음 제시문을 읽고 문제에 답하시오.

(가) 곡선 $C: y=x^2-1$과 C 위의 x좌표가 양수인 점 $\mathrm{P}(t,\ t^2-1)$이 있다. [그림 1]과 같이 곡선 C 위의 점 P에서의 접선에 수직이며 점 P를 지나는 직선을 L_{P}라 하고, 곡선 C와 직선 L_{P}의 교점 중 P가 아닌 점을 Q라 하자.

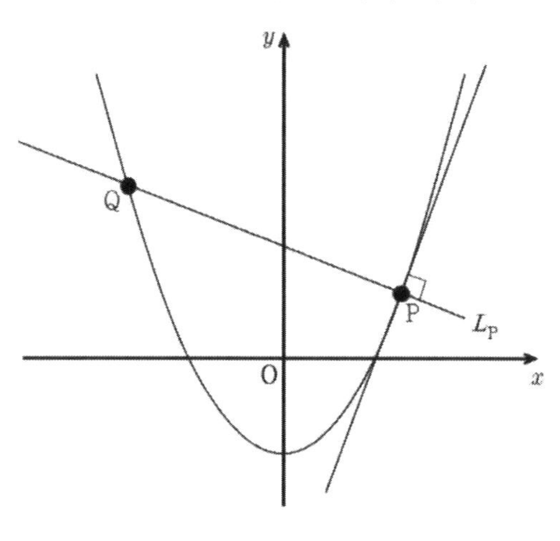

[그림 1]

곡선 C와 직선 L_{P}로 둘러싸인 도형의 $x \geq 0$인 부분의 넓이를 $S(t)$라 하자. 직선 L_{P}와 x축이 이루는 예각의 크기를 θ(라디안)라 하면 $t=\dfrac{1}{2\tan\theta}$이다. 따라서 $S(t)$를 θ에 대한 함수로 나타낼 수 있다.

(나) 선분 PQ 위의 점 중에서 점 $\mathrm{P}(t,\ t^2-1)$과의 거리가 1인 점을 R이라 하고, 점 R의 x좌표와 y좌표를 매개변수 t로 나타낸 함수를 각각 $x(t)$, $y(t)$라 하자.

[문제 1-1] (27점) 제시문 (가)를 읽고 물음에 답하시오.

(1) (6점) $S(t)$를 t에 대한 다항식으로 나타내시오.

(2) (8점) $t=1$일 때, θ에 대한 $S(t)$의 순간변화율을 구하시오.

(3) (13점) $\overline{\mathrm{PQ}}$의 최솟값을 구하시오.

[문제 1-2] (23점) 제시문 (가)와 (나)를 읽고 물음에 답하시오.

(1) (10점) 함수 $x(t)$와 $y(t)$를 구하시오.

(2) (13점) 시각 t에서 점 R의 위치를 $(x(t),\ y(t))$라 하자. 시각 $t=1$에서 $t=s$까지 점 R이 움직인 거리를 $l(s)$라 할 때, $\lim\limits_{s\to 2}\dfrac{l(s)-l(2)}{s^2-4}$의 값을 구하시오. (단, $s>1$)

[문항 2] (50점) 다음 제시문을 읽고 문제에 답하시오.

(가) 서로 다른 세 장의 카드 '가위카드', '바위카드', '보카드'와 1번에서 n번 $(n \geq 3)$까지 차례대로 번호가 적혀있는 n개의 자리가 있다. 이 카드 세 장을 서로 다른 자리에 한 장씩 놓는 것을 '카드배열' 이라 하고 어떤 두 카드의 자리 번호의 차가 1이면 두 카드는 '이웃한다'고 하자. 예를 들어 $n=4$일 때, [그림 2]와 [그림 3]의 카드배열은 서로 다른 배열이다. [그림 2]의 카드배열에서 보카드와 바위카드는 이웃하고 가위카드와 보카드는 이웃하지 않는다.

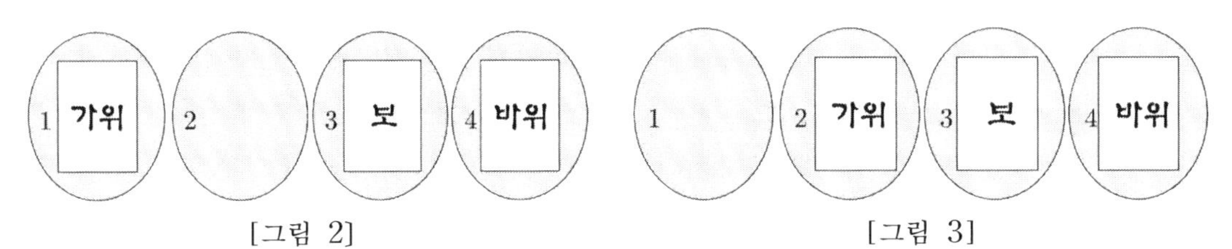

[그림 2] [그림 3]

(나) $n=3$일 때, 카드의 이름을 차례로 써서 카드배열을 나타내자. 예를 들어 [그림 4]의 카드배열은 (가위/바위/보)로 나타낸다.

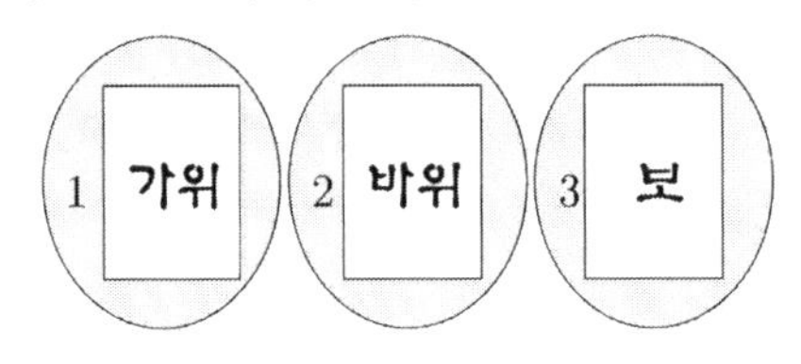

[그림 4]

$n=3$이고 정의역과 공역이 모두 $\{1, 2, 3\}$인 함수 f가 주어졌을 때, 다음 〈규칙〉을 따르는 카드배열을 'f-카드배열' 이라 하자. 가위카드는 보카드를 이기고 보카드는 바위카드를 이기며 바위카드는 가위카드를 이긴다.

〈규칙〉

① 1번 자리에 놓인 카드를 이기는 카드는 자리 번호가 $f(1)$이하이다.
② 2번 자리에 놓인 카드를 이기는 카드는 자리 번호가 $f(2)$이하이다.
③ 3번 자리에 놓인 카드를 이기는 카드는 자리 번호가 $f(3)$이하이다.

예를 들어 함수 $f:\{1, 2, 3\} \rightarrow \{1, 2, 3\}$에 대하여 $f(1)=2$, $f(2)=3$, $f(3)=2$이면 (바위/보/가위)는 f-카드배열이다. (가위/보/바위)는 가위카드가 놓인 자리 번호가 1이므로 바위카드의 자리 번호는 $f(1)=2$ 이하이어야 하는데 그렇지 않으므로 f-카드배열이 아니다.

[문제 2-1] (15점) 제시문 (가)를 읽고 물음에 답하시오.

(1) (5점) $n=7$일 때, 카드배열의 개수를 구하시오.

(2) (5점) $n=9$일 때, 다음을 만족시키는 카드배열의 개수를 구하시오.

(가위카드의 자리 번호) < (바위카드의 자리 번호) < (보카드의 자리 번호)

(3) (5점) $n=11$일 때, 가위카드와 보카드가 이웃하는 카드배열의 개수를 구하시오.

[문제 2-2] (35점) 제시문 (가)와 (나)를 읽고 물음에 답하시오.

(1) (10점) 함수 $f:\{1, 2, 3\} \to \{1, 2, 3\}$에 대하여 $f(1)=2$, $f(2)=3$, $f(3)=3$일 때, f-카드배열을 모두 구하시오.

(2) (12점) $g(1)=2$이고 g-카드배열이 존재하도록 하는 함수 $g:\{1, 2, 3\} \to \{1, 2, 3\}$을 모두 구하시오.

(3) (13점) 명제 '모든 카드배열이 h-카드배열이다.'가 참이 되도록 하는 함수 $h:\{1, 2, 3\} \to \{1, 2, 3\}$을 모두 구하시오. (단, $n=3$)

아주대학교
AJOU UNIVERSITY

답안지 (자연계)

지원 학과 (전공)

※감독관 확인란
(서명)

성 명

수	험	번	호					
⓪	⓪	⓪	⓪	⓪	⓪	⓪	⓪	⓪
①	①	①	①	①	①	①	①	①
②	②	②	②	②	②	②	②	②
③	③	③	③	③	③	③	③	③
④	④	④	④	④	④	④	④	④
⑤	⑤	⑤	⑤	⑤	⑤	⑤	⑤	⑤
⑥	⑥	⑥	⑥	⑥	⑥	⑥	⑥	⑥
⑦	⑦	⑦	⑦	⑦	⑦	⑦	⑦	⑦
⑧	⑧	⑧	⑧	⑧	⑧	⑧	⑧	⑧
⑨	⑨	⑨	⑨	⑨	⑨	⑨	⑨	⑨

주민등록번호앞자리(예:940512)					
⓪	⓪	⓪	⓪	⓪	⓪
①	①	①	①	①	①
②	②	②	②	②	②
③	③	③	③	③	③
④	④	④	④	④	④
⑤	⑤	⑤	⑤	⑤	⑤
⑥	⑥	⑥	⑥	⑥	⑥
⑦	⑦	⑦	⑦	⑦	⑦
⑧	⑧	⑧	⑧	⑧	⑧
⑨	⑨	⑨	⑨	⑨	⑨

- 유의사항 -
① 논술답안은 검정색 볼펜으로만 작성하십시오.(빨강이나 파랑색 사용금지)
② 답안지의 문항번호를 확인 후 답안을 작성하십시오.

1번 문항 (반드시 해당 문항과 일치하여야 함)

이 줄 아래는 답안 작성을 하지 말 것

이 줄 위에는 답안 작성을 하지 말 것

2번 문항 (반드시 해당 문항과 일치하여야 함)

이 줄 아래는 답안 작성을 하지 말 것

3. 2024학년도 아주대 모의 논술

[문항 1] (50점) 다음 제시문을 읽고 주어진 질문에 답하시오.

(가) 음이 아닌 정수의 집합을 U라고 할 때, 1보다 큰 두 자연수 a, b에 대하여 U의 부분집합 $S(a,\ b)$를 다음과 같이 정의하자.

$$S(a,\ b)=\{am+bn|m,\ n\text{은 } U\text{의 원소}\}$$

두 자연수 a, b가 모두 1보다 크므로 1은 $S(a,\ b)$의 원소가 아니며 ab는 $S(a,\ b)$의 원소임을 알 수 있다. 예를 들어 $a=2$, $b=3$이라면 $S(2,\ 3)$에는 모든 양의 2의 배수와 양의 3의 배수가 포함된다. 또, 1보다 큰 모든 홀수 c에 대하여 $c=2k+1$(k는 자연수)로 나타낼 수 있으므로 $c-3=2k-2=2(k-1)$이고 $c=2(k-1)+3$은 $S(2,\ 3)$의 원소이다. 따라서

$$S(2,\ 3)=\{0,\ 2,\ 3,\ 4,\ 5,\ 6,\ 7,\ 8,\ 9,\ 10,\ \cdots\}=U-\{1\}$$

이다.

(나) 자연수 n에 대하여 X_n은 n이하의 자연수의 집합이다. 정의역과 공역이 모두 X_n인 함수 f에 대해 다음과 같은 〈조건〉을 생각하자.

〈조건〉

정의역의 모든 원소 x에 대하여 $(f\circ f)(x)=f(x)$이다.

예를 들어 집합 $X_2=\{1,\ 2\}$일 때, $f:X_2\rightarrow X_2$가 상수함수 또는 항등함수라면 〈조건〉을 만족하지만, 그렇지 않으면 〈조건〉을 만족하지 않는다.

[문제 1-1] (30점) 제시문 (가)를 읽고 물음에 답하시오.

(1) 집합 $A=\{x|x\in U$ 그리고 $x\le 2024\}$일 때, $S(2,\ 3)$에 대한 결과를 이용하여 $n(A\cap S(10,\ 15))$를 구하시오.

(2) 명제 'a이상의 모든 자연수 x에 대하여 $x\in S(3,\ 4)$이다.' 가 참이 되도록 하는 자연수 a의 최솟값을 구하시오.

(3) 명제 '어떤 양의 7의 배수는 $S(2,\ b)$의 원소가 아니다.'가 거짓이 되도록 하는 2보다 큰 자연수 b를 모두 구하시오.

[문제 1-2] (20점) 제시문 (나)를 읽고 물음에 답하시오.

(1) 함수 $f:X_n\rightarrow X_n$가 <조건>을 만족하면 f의 치역은 $\{x\in X_n|f(x)=x\}$임을 증명하시오.

(2) <조건>을 만족하는 함수 $f:X_3\rightarrow X_3$의 개수를 구하시오.

[문항 2] (50점) 다음 제시문을 읽고 주어진 질문에 답하시오.

(가) 다음과 같은 게임을 생각해보자.

<동전 던지기 게임>

① 게임의 모든 참가자는 동전을 던지기 전에 자신이 가진 점수의 일부 또는 전부를 제시한다.
② 심판이 한 개의 동전을 던지고
- 동전의 앞면이 나오면 각 참가자는 제시한 점수만큼을 더 얻는다.
- 동전의 뒷면이 나오면 각 참가자는 제시한 점수의 반을 잃는다.

예를 들어 아주가 100점을 가지고 <동전 던지기 게임>에 참가하였다고 하자. 아주가 자신이 가진 점수 100점 중 50점을 제시했다면, 동전의 앞면이 나왔을 때는 50점 +50점 ×2＝150점이 되고 동전의 뒷면이 나왔을 때에는 50점+50점÷2＝75점이 된다.

장투와 새넌은 각각 100점을 가지고 연속한 50번의 <동전 던지기 게임>에 참가하였다. 매 게임마다 ①의 과정에서 장투는 자신이 가진 점수의 전부를 제시했고, 새넌은 자신이 가진 점수의 반을 제시했다. 50번의 게임에서 다음과 같이 홀수 번째 게임에서는 앞면, 짝수 번째 게임에서는 뒷면이 나왔다.

1	2	3	4	5	…	49	50
앞면	뒷면	앞면	뒷면	앞면	…	앞면	뒷면

k번 $(1 \le k \le 50)$의 게임 후 장투의 점수를 x_k그리고 새넌의 점수를 y_k라고 하자.

(나) 펀드나 포트폴리오의 광고를 보면 연평균 수익률로 몇 년간 수익률의 산술평균을 제시하는 경우가 있다. 그러나 산술평균으로 나타낸 수익률은 실제 수익률보다 높아서 예상한 만큼 수익을 얻을 수 없다. 예를 들어 S펀드 상품에 투자하여 2021년에는 40%의 수익, 2022년에는 20%의 손실이 발생했다고 가정해보자. 산술평균으로 수익률을 계산하면 연평균 수익률은 10%가 되며 2년간 수익률은 연평균 수익률의 2배인 20%가 된다. 그러나 실제로 S펀드 상품에 2021년 초에 100만원을 투자했다면 2022년 말에는 112만원이 되어 있을 것이다. 따라서 원금 대비 2년간 실제 수익률은 12%로 산술평균으로 계산된 수익률인 20%보다 낮다는 것을 알 수 있다.
그렇다면 실제 연평균 수익률은 어떻게 계산할까? 투자 원금을 A, n년 후의 평가금액을 a_n이라할 때, 실제 연평균 수익률은 다음 식을 만족하는 r의 값이다.

$$A(1+r)^n = a_n$$

[문제 2-1] (40점) 제시문 (가)를 읽고 다음에 답하시오.

(1) x_{50}을 구하시오.

(2) 수열 $\{y_n\}$에 대하여 $\dfrac{y_{2n}}{y_{2n-1}}(1 \le n \le 25)$과 $\dfrac{y_{2n+1}}{y_{2n}}(1 \le n \le 24)$의 값을 각각 구하시오.

(3) y_{50}을 구하시오.

(4) 아주가 100점을 가지고 장투와 새년이 참가한 50번의 <동전 던지기 게임>에 참가하였고 매 게임마다 ①의 과정에서 자신이 가진 점수에 $\alpha(0 \le \alpha \le 1)$를 곱한 값을 제시한다고 할 때, 50회의 게임 후 아주의 점수가 최대가 되는 α를 구하시오.

[문제 2-2](10점) 제시문 (가)와 (나)를 읽고 아래의 상용로그표를 이용하여 50번의 <동전 던지기 게임>에 대한 세넌의 실제 게임당 평균 수익률을 구하시오. (단, $\log 2 = 0.3010$, $\log 3 = 0.4771$로 계산하며 게임당 평균 수익률의 소수점 이하 3번째 자리에서 버린다.)

	0	1	2	3	4	5	6	7	8	9
1.0	0.0000	0.0043	0.0086	0.0128	0.0170	0.0212	0.0253	0.0294	0.0334	0.0374

아주대학교
AJOU UNIVERSITY

답안지(자연계)

지원 학과 (전공)

※감독관 확인란
(서명)

성 명

수 험 번 호								
⓪	⓪	⓪	⓪	⓪	⓪	⓪	⓪	⓪
①	①	①	①	①	①	①	①	①
②	②	②	②	②	②	②	②	②
③	③	③	③	③	③	③	③	③
④	④	④	④	④	④	④	④	④
⑤	⑤	⑤	⑤	⑤	⑤	⑤	⑤	⑤
⑥	⑥	⑥	⑥	⑥	⑥	⑥	⑥	⑥
⑦	⑦	⑦	⑦	⑦	⑦	⑦	⑦	⑦
⑧	⑧	⑧	⑧	⑧	⑧	⑧	⑧	⑧
⑨	⑨	⑨	⑨	⑨	⑨	⑨	⑨	⑨

주민등록번호앞자리(예:940512)					
⓪	⓪	⓪	⓪	⓪	⓪
①	①	①	①	①	①
②	②	②	②	②	②
③	③	③	③	③	③
④	④	④	④	④	④
⑤	⑤	⑤	⑤	⑤	⑤
⑥	⑥	⑥	⑥	⑥	⑥
⑦	⑦	⑦	⑦	⑦	⑦
⑧	⑧	⑧	⑧	⑧	⑧
⑨	⑨	⑨	⑨	⑨	⑨

- 유의사항 -

① 논술답안은 검정색 볼펜으로만 작성하십시오.(빨강이나 파랑색 사용금지)

② 답안지의 문항번호를 확인 후 답안을 작성하십시오.

1번 문항 (반드시 해당 문항과 일치하여야 함)

이 줄 아래는 답안 작성을 하지 말 것

이 줄 위에는 답안 작성을 하지 말 것

2번 문항 (반드시 해당 문항과 일치하여야 함)

이 줄 아래는 답안 작성을 하지 말 것

4. 2023학년도 아주대 수시 논술 (오전)

[문항 1] (50점) 다음 제시문을 읽고 논제에 답하라.

(가) 자연수 $n(n \geq 3)$에 대하여, 각 가로줄과 세로줄이 n개의 칸으로 이루어진 정사각형 모양의 표가 있다. [그림 1]은 $n=3$인 경우와 $n=4$인 경우를 표현한 것이다.

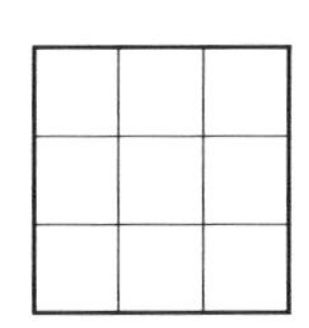

$n=3$인 경우

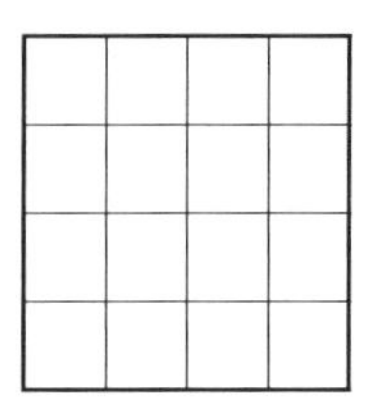

$n=4$인 경우

[그림 1]

이 표의 각 칸에 실수를 하나씩 적어, 위에서부터 k번째 가로줄에 적힌 n개의 수를 왼쪽에서 오른쪽으로 읽어 얻는 수열을 **k번째 가로수열**, 왼쪽에서부터 k번째 세로줄에 적힌 n개의 수를 위에서 아래로 읽어 얻는 수열을 **k번째 세로수열**이라 한다. 각 가로수열과 세로수열이 등차수열 또는 등비수열인 표를 **n-등차등비표**라 하자.

[그림 2]의 표는 각 가로수열과 세로수열이 등차수열 또는 등비수열이므로 모두 3-등차등비표이다.

1	2	3
4	5	6
7	8	9

4	6	9
2	5	8
1	4	7

[그림 2]

(나) 함수 $f(x)$에 대하여, n-등차등비표의 각 칸마다 그 칸에 적힌 수 x대신 $f(x)$를 적어 만든 표를 **$f(x)$에 의해 변환한 표**라 하자. 예를 들어 [그림 2]의 두 3-등차등비표를 $f(x)=2x$에 의해 변환한 표는 [그림 3]과 같다.

2	4	6
8	10	12
14	16	18

8	12	18
4	10	16
2	8	14

[그림 3]

[문제 1-1] 제시문 (가)를 읽고 물음에 답하라.

(1) 아래의 3-등차등비표에서 두 번째 가로수열과 두 번째 세로수열은 등차수열이며, 그 외 가로수열과 세 로수열은 모두 등비수열일 때, $a+b+c+d+e$의 값을 구하라.

10	a	b
c	10	d
40	e	10

(2) 다음 <조건>을 만족하는 3-등차등비표의 개수를 구하라.

〈조건 〉

① 각 칸에 적힌 수는 9이하의 자연수이다.
② 첫 번째 가로수열은 첫째항만 홀수이고 나머지 항은 짝수이다.
③ 첫 번째 세로수열은 둘째항만 짝수이고 나머지 항은 홀수이다.

홀	짝	짝
짝		
홀		

(3) 자연수 $n(n \geq 3)$에 대하여, n-등차등비표에 적힌 모든 수의 합이 20이고 각 가로수열이 등차수열이라 하자. 이 n-등차등비표의 첫 번째 세로수열의 합을 α라 하고 n번째 세로수열의 합을 β라 하자. α와 β가 이차방정식 $x^2-5x+p=0$의 서로 다른 두 실근일 때, n의 값을 구하고 실수 p의 범위를 구하라.

[문제 1-2] 제시문 (가)와 (나)를 읽고 물음에 답하라.

(1) 10-등차등비표를 $f(x)=\log_2 x$에 의해 변환한 표의 첫 번째 가로수열은 등차수열이며, 이 가로수열의 첫째항이 4이고 제 10항이 40이라 하자. 변환하기 이전의 표에서 첫 번째 가로수열의 합을 구하라.

(2) 두 함수 $f(x)=\sin\frac{\pi}{2}x$와 $g(x)=x^3+ax^2+b$에 대하여 아래 3-등차등비표를 합성함수 $(g \circ f)(x)$에 의해 변환한 표가 3-등차등비표일 때, $y=f(x)$와 $y=g(x)$의 그래프의 교점의 개수를 구하라. (단, $\sqrt{3}>1.7$)

1	2	3
4	5	6
7	8	9

[문항 2] (50점) 다음 제시문을 읽고 논제에 답하라.

(가) 자연수 n에 대하여, $0 < p_1 < \cdots < p_n$을 만족하는 n개의 실수 p_1, ..., p_n이 있다. x축과 직선 $y = p_1 x$에 동시에 접하면서 점 $(1,\ 0)$을 지나며 중심이 제 1사분면에 있는 원을 C_1이라 하자. y축과 직선 $y = p_n x$에 동시에 접하면서 점 $(0,\ 1)$을 지나며 중심이 제 1사분면에 있는 원을 C_{n+1}이라 하자. $n \geq 2$일 때, $2 \leq k \leq n$인 자연수 k에 대하여, 두 직선 $y = p_{k-1}x$, $y = p_k x$와 원 C_{k-1}에 동시에 접하고 중심이 제 1사분면에 있는 원을 C_k라 하자. x축과 직선 $y = p_1 x$가 이루는 예각을 θ_1, 직선 $y = p_n x$와 y축이 이루는 예각을 θ_{n+1}이라 하자. $n \geq 2$일 때, $2 \leq k \leq n$인 자연수 k에 대하여 두 직선 $y = p_{k-1}x$와 $y = p_k x$가 이루는 예각을 θ_k라 하자. $n+1$이하인 자연수 k에 대하여, 원 C_k의 반지름 을 r_k라 하자.

[그림 4]는 $n=1$인 경우와 $n=2$인 경우를 표현한 것이다.

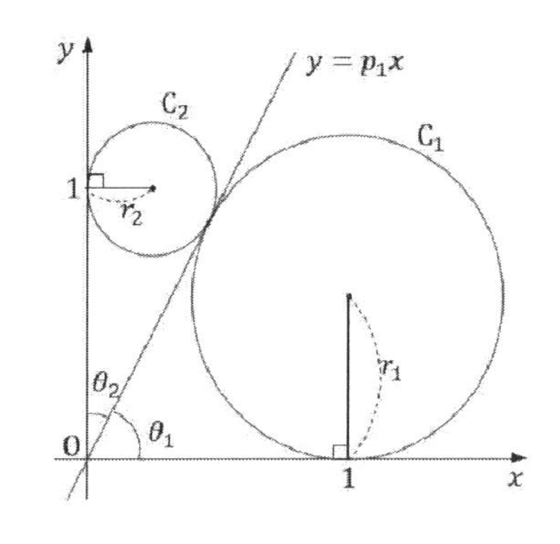

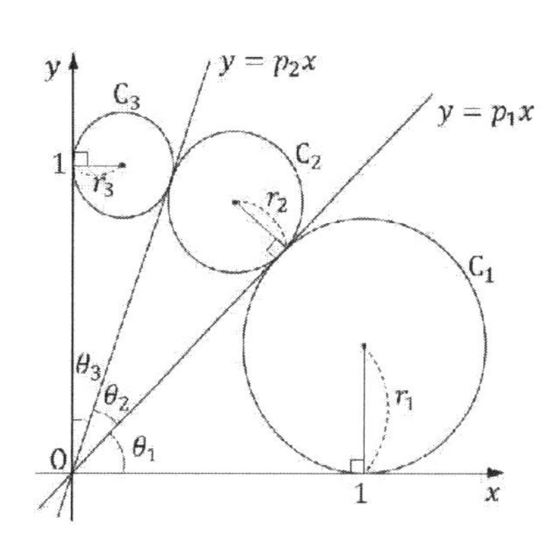

[그림 4]

한편 $n=1$인 경우, $r_1 = \tan\dfrac{\theta_1}{2}$이고 $r_2 = \tan\left(\dfrac{\pi}{4} - \dfrac{\theta_1}{2}\right)$이므로, 삼각함수의 덧셈정리에 의해 $r_2 = \dfrac{1 - \tan\dfrac{\theta_1}{2}}{1 + \tan\dfrac{\theta_1}{2}} = \dfrac{1 - r_1}{1 + r_1}$이다.

(나) 모든 실수 x에 대하여 $f(x) = f(2p - x)$를 만족하는 실수 p가 존재하는 함수 $f(x)$를 생각하자. 함수 $y = f(x)$의 그래프는 직선 $x = p$에 대하여 대칭이다. 따라서 $f(a) = 0$이면 $x = 2p - a$가 방정식 $f(x) = 0$의 실근이 된다. 한편 $\int_0^{2p} xf(x)dx$를 계산할 때, $x = 2p - t$로 치환하면 다음을 얻는다.

$$\int_0^{2p} xf(x)dx = \int_0^{2p} (2p - t)f(2p - t)dt = \int_0^{2p} (2p - x)f(x)dx$$

[문제 2-1] 제시문 (가)를 읽고 물음에 답하라.

(1) $n=1$일 때, $5(r_1+r_2)>4$임을 증명하라. (단, $\sqrt{2}>1.4$)

(2) n이하인 자연수 k에 대하여 $p_k=\tan\frac{k\pi}{2(n+1)}$일 때, $\lim_{n\to\infty}\frac{1}{n}\sum_{k=1}^{n+1}(k-1)r_k$를 구하라.

(3) n이하인 자연수 k에 대하여 $p_k=k$이고 $\sum_{k=1}^{n+1}\frac{1}{\tan\theta_k}=82$일 때, n의 값을 구하라.

[문제 2-2] 제시문 (나)를 읽고 물음에 답하라.

(1) 모든 실수 x에 대하여 $f(2+x)=f(2-x)$를 만족하는 함수 $f(x)$를 생각하자. 방정식 $f(x)=0$의 서로 다른 실근을 모두 더하면 34일 때, 방정식 $f(x)=0$의 서로 다른 실근의 개수를 구하라.

(2) 함수 $f(x)=\frac{|\cos x|}{3+\cos^2 x}$에 대하여 $\int_0^{\pi} xf(x)dx$의 값을 구하라.

아주대학교
AJOU UNIVERSITY

답안지(자연계)

지원 학과 (전공)

※감독관 확인란	성 명
(서명)	

수 험 번 호								
⓪	⓪	⓪	⓪	⓪	⓪	⓪	⓪	⓪
①	①	①	①	①	①	①	①	①
②	②	②	②	②	②	②	②	②
③	③	③	③	③	③	③	③	③
④	④	④	④	④	④	④	④	④
⑤	⑤	⑤	⑤	⑤	⑤	⑤	⑤	⑤
⑥	⑥	⑥	⑥	⑥	⑥	⑥	⑥	⑥
⑦	⑦	⑦	⑦	⑦	⑦	⑦	⑦	⑦
⑧	⑧	⑧	⑧	⑧	⑧	⑧	⑧	⑧
⑨	⑨	⑨	⑨	⑨	⑨	⑨	⑨	⑨

주민등록번호앞자리(예:940512)					
⓪	⓪	⓪	⓪	⓪	⓪
①	①	①	①	①	①
②	②	②	②	②	②
③	③	③	③	③	③
④	④	④	④	④	④
⑤	⑤	⑤	⑤	⑤	⑤
⑥	⑥	⑥	⑥	⑥	⑥
⑦	⑦	⑦	⑦	⑦	⑦
⑧	⑧	⑧	⑧	⑧	⑧
⑨	⑨	⑨	⑨	⑨	⑨

- 유의사항 -

① 논술답안은 검정색 볼펜으로만 작성하십시오.(빨강이나 파랑색 사용금지)

② 답안지의 문항번호를 확인 후 답안을 작성하십시오.

1번 문항 (반드시 해당 문항과 일치하여야 함)

이 줄 아래는 답안 작성을 하지 말 것

이 줄 위에는 답안 작성을 하지 말 것

2번 문항 (반드시 해당 문항과 일치하여야 함)

이 줄 아래는 답안 작성을 하지 말 것

5. 2023학년도 아주대 수시 논술 (오후)

[문항 1] (50점) 다음 제시문을 읽고 논제에 답하라.

(가) 함수 $f(x)$가 미분가능한 함수이고 $f(0)=f(1)=0$을 만족하면 **좋은함수**라 하자. 특히 좋은함수 $f(x)$가 $f'(0)=a$, $f'(1)=b$이면 $f(x)$를 《a,b》-**좋은함수**라 하자. 두 함수 $f(x)$, $g(x)$가 좋은함수라면 $f(x)+g(x)$, $f(x)g(x)$, $(f \circ g)(x)$도 좋은함수이다.

한편 $f(x)$가 좋은함수이면 평균값 정리에 의하여 양의 실수 p에 대하여

$$\frac{f(p)-f(0)}{p-0}=\frac{f(p)}{p}=f'(c)$$

인 c가 열린구간 $(0,\ p)$에 존재한다.

(나) 함수 $g(x)=\cos^3\left(\frac{\pi x}{2}\right)\sin\left(\frac{\pi x}{2}\right)$, $h(x)=xe^{x^2-1}-x$에 대하여 함수 $s(x)$를 다음과 같이 정의하자.

$$s(x)=\begin{cases} g(x) & (x \le 1) \\ h(x-1) & (x>1) \end{cases}$$

이때 $s(x)$는 연속함수이고 $s(0)=s(1)=0$이지만 $g'(1) \ne h'(0)$이므로 $x=1$에서 미분가능하지 않다. 따라서 $s(x)$는 좋은함수가 아니다.

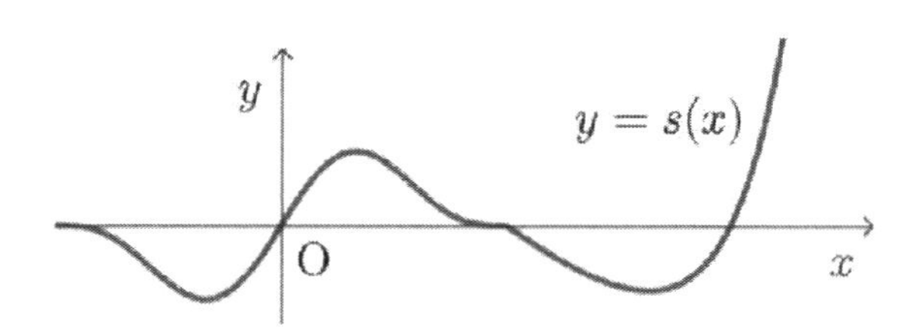

[문제 1-1] (25점) 제시문 (가)를 읽고 물음에 답하라.

(1) 《0, 0》 좋은함수인 사차함수 $f(x)$의 극댓값이 2^{10}이고 $A=\log 2$, $B=\log 3$일 때, $\log f(6)$의 값을 A와 B로 나타내라.

(2) 좋은함수 $f(x)$가 모든 실수에서 연속인 이계도함수 $f''(x)$를 갖고, $0<p<1$인 실수 p에 대하여 $f(x)$가 $x=p$에서 최댓값 2023을 가진다. 이때 $\int_a^b f''(x)dx=\frac{2023}{p(p-1)}$을 만족하는 두 실수 a, b가 열린 구간 $(0,\ 1)$에 존재함을 증명하라.

[문제 1-2] (25점) 제시문 (가)와 (나)를 읽고 물음에 답하라.

(1) 제시문 (나)의 함수 $s(x)$에 대하여 $\int_0^2 s(x)dx$의 값을 구하라.

(2) 9이하의 자연수 a, b, c, d, e, f에 대하여 $p(x)$는 $\ll a,\ b \gg$-좋은함수, $q(x)$는 $\ll c,\ d \gg$-좋은함수, $r(x)$는 $\ll e,\ f \gg$-좋은함수이다. 두 함수 $G(x)=p(q(x))+p(x)q(x)$

와 $H(x)=q(r(x))+2r(x)$에 대하여 함수 $S(x)$를 아래와 같이 정의하자.

$$S(x)=\begin{cases} G(x) & (x \le 1) \\ H(x-1) & (x>1) \end{cases}$$

$S(x)$가 $\ll n, 24 \gg$-좋은함수이고 자연수 n이 24의 약수가 되는 순서쌍 $(a,\ b,\ c,\ d,\ e,\ f)$의 개수를 구하라.

[문항 2] (50점) 다음 제시문을 읽고 논제에 답하라.

(가) 닫힌구간에서 연속인 함수 $f(x)$의 최댓값 또는 최솟값을 구하거나 방정식 $f(x)=0$의 실근의 개수를 구할 때, 극값이나 양 끝 값 등 특정 함숫값을 비교하는 것으로 충분할 수 있다. 가령 삼차함수 $f(x)=x^3-3ax+b$에 대하여 닫힌구간 $[-2,\ 2]$에서 $|f(x)|$의 최댓값을 구하는 문제를 생각해 보자. $0<a<4$인 경우 $f(x)$는 $x=\pm\sqrt{a}$에서 극값을 가지므로 $|f(-2)|$, $|f(-\sqrt{a})|$, $|f(\sqrt{a})|$, $|f(2)|$를 비교해서 $|f(x)|$의 최댓값을 구할 수 있고, 그렇지 않으면 $|f(-2)|$와 $|f(2)|$를 비교해서 $|f(x)|$의 최댓값을 구할 수 있다.

(나) 실수 a, b에 대하여 함수 $F(x)=x^4+ax^2+b$에서 $t=x^2$으로 치환하여 얻은 이차함수 $f(t)=t^2+at+b$를 생각하자. 실수 α에 대하여 $F(\alpha)=0$이면 $f(\alpha^2)=0$을 만족한다. 따라서 방정식 $f(t)=0$이 서로 다른 두 양의 실근을 가지는 것은 방정식 $F(x)=0$이 서로 다른 네 실근을 가지기 위한 필요충분조건이다.

[문제 2-1] (20점) 제시문 (가)를 읽고 물음에 답하라.

(1) 함수 $f(x)=x^3-3ax+a$에 대하여 방정식 $f(x)=0$이 닫힌구간 $[-2,\ 2]$에서 서로 다른 세 실근을 가지도록 하는 실수 a의 값의 범위를 구하라.

(2) 함수 $f(x)=x^3-3ax+2$에 대하여 닫힌구간 $[-2,\ 2]$에서 $|f(x)|$의 최댓값이 가장 작아지도록 하는 실수 a의 값과 그때의 $|f(x)|$의 최댓값을 구하라.

[문제 2-2] (30점) 제시문 (나)를 읽고 물음에 답하라.

(1) 함수 $F(x)=x^4+ax^2+b$에 대하여 방정식 $F(x)=0$은 서로 다른 네 실근을 가지고 모든 실근의 절댓값이 양수 A보다 크다고 하자. 방정식 $F'(x)=0$의 0이 아닌 실근의 절댓값이 A보다 크다는 것을 증명하라. (단, a, b는 상수)

(2) 함수 $F(x)=x^4-x^2+c$에 대하여, 방정식 $F(x)=0$이 서로 다른 네 실근 p, q, r, s $(p<q<r<s)$를 가지고 $\int_p^s F(x)dx=0$을 만족할 때, 상수 c를 구하라.

(3) 함수 $G(x)=x^4-4x^3+9x-\frac{11}{2}$에 대하여, 다음 <조건>을 만족하는 일차함수 $L(x)$를 구하라.

〈조건〉

① $F(x)=x^4+ax^2+b$(단, a, b는 상수)

② $G(x)=F(x-m)+L(x)$(단, m은 상수)

③ 방정식 $G(x)-L(x)=0$이 서로 다른 네 실근을 가지고, 가장 큰 실근 t에 대하여

$$\int_m^t (G(x)-L(x))dx=0$$

아주대학교
AJOU UNIVERSITY

답안지(자연계)

지원 학과 (전공)

※감독관 확인란	성 명
(서명)	

- 유의사항 -

① 논술답안은 검정색 볼펜으로만 작성하십시오.(빨강이나 파랑색 사용금지)

② 답안지의 문항번호를 확인 후 답안을 작성하십시오.

수	험	번	호					
⓪	⓪	⓪	⓪	⓪	⓪	⓪	⓪	⓪
①	①	①	①	①	①	①	①	①
②	②	②	②	②	②	②	②	②
③	③	③	③	③	③	③	③	③
④	④	④	④	④	④	④	④	④
⑤	⑤	⑤	⑤	⑤	⑤	⑤	⑤	⑤
⑥	⑥	⑥	⑥	⑥	⑥	⑥	⑥	⑥
⑦	⑦	⑦	⑦	⑦	⑦	⑦	⑦	⑦
⑧	⑧	⑧	⑧	⑧	⑧	⑧	⑧	⑧
⑨	⑨	⑨	⑨	⑨	⑨	⑨	⑨	⑨

주민등록번호앞자리(예:940512)					
⓪	⓪	⓪	⓪	⓪	⓪
①	①	①	①	①	①
②	②	②	②	②	②
③	③	③	③	③	③
④	④	④	④	④	④
⑤	⑤	⑤	⑤	⑤	⑤
⑥	⑥	⑥	⑥	⑥	⑥
⑦	⑦	⑦	⑦	⑦	⑦
⑧	⑧	⑧	⑧	⑧	⑧
⑨	⑨	⑨	⑨	⑨	⑨

1번 문항 (반드시 해당 문항과 일치하여야 함)

이 줄 아래는 답안 작성을 하지 말 것

이 줄 위에는 답안 작성을 하지 말 것

2번 문항 (반드시 해당 문항과 일치하여야 함)

이 줄 아래는 답안 작성을 하지 말 것

6. 2023학년도 아주대 모의 논술

[문항 1] (50점) 다음 제시문을 읽고 논제에 답하라.

(가) 함수 $y=f(x)$의 그래프의 개형을 그려보면 $f(x)$의 최댓값 또는 최솟값을 구할 수 있다. 특히 함수 $f(x)$가 미분가능하면, 도함수 $f'(x)$를 이용하여 $y=f(x)$의 그래프의 개형을 알 수 있다. 함수 $f(x)$가 닫힌구간 $[p,\ q]$에서 연속이면 이 구간에서 반드시 최댓값과 최솟값을 가지며, 이는 극솟값, 극댓값, $f(p)$, $f(q)$의 값을 비교하여 구할 수 있다.

(나) 미분가능한 함수 $f(x)$에 대하여, 곡선 $y=f(x)$위의 점 $(t,\ f(t))$에서 접선의 방정식은 $y-f(t)=f'(t)(x-t)$이다. 이 접선이 점 $(x_0,\ y_0)$를 지나면 다음을 만족한다.

$$(y_0-f(t))=f'(t)(x_0-t)$$

(다) 미분가능한 함수 $f(x)$에 대하여, 곡선 $y=f(x)$위의 서로 다른 두 점 $(p,\ f(p))$와 $(q,\ f(q))$를 각 접점으로 가지는 두 접선이 일치하는 경우, 그 접선의 기울기를 생각하여 보면 다음의 식을 얻을 수 있다.

$$f'(p)=f'(q)=\frac{f(q)-f(p)}{q-p}$$

[문제 1-1] (20점) 제시문 (가)를 읽고 물음에 답하여라.

(1) 닫힌구간 $[a-2,\ a+2]$에서 이차함수 $y=2x^2-4x+a$가 최솟값 20을 갖도록 하는 실수 a의 값을 모두 구하여라.

(2) 닫힌구간 $\left[0,\ \frac{\pi}{2}\right]$에서 함수 $f(x)=x+\sin 4x-1$의 최솟값을 구하여라.

[문제 1-2] (30점) 제시문 (나)와 (다)를 읽고 물음에 답하여라.

(1) 곡선 $y=2x^2-3x-5$에 대한 서로 다른 두 접선이 모두 점 $(-1,\ -2)$를 지날 때, 이 곡선과 두 접선으로 둘러싸인 영역의 넓이를 구하여라.

(2) 삼차함수 $f(x)=ax^3+bx^2+cx+d\ (a\neq 0)$라 할 때, 곡선 $y=f(x)$위의 서로 다른 두 점에서의 접선은 일치할 수 없음을 보여라.

(3) 곡선 $y=x^3-3x^2-2$에 대한 서로 다른 세 접선이 모두 점 $(x_0,\ y_0)$를 지난다. 자연수 x_0, y_0에 대하여, x_0+y_0의 최솟값을 구하여라.

[문항 2] (50점) 다음 제시문을 읽고 논제에 답하라.

(가) 음이 아닌 정수 n에 대하여 n이하의 양의 정수의 집합을 P_n이라 하자. 어떤 양의 정수 k에 대하여 P_k의 원소로 이루어진 순서쌍 (a, b)(단, $1 \le a < b \le k$) 중 일부를 원소로 갖는 집합을 S라 할 때, 다음 <조건>을 만족하는 함수 $f: P_k \to P_n$의 개수를 $g(n)$이라 하자.

<조건>

$(a, b) \in S$이면 $f(a) \neq f(b)$이다.

예를 들어 $k=3$이고 $S=\{(1, 2), (2, 3)\}$이라면 $f(1)$이 될 수 있는 값은 n개, $f(2)$가 될 수 있는 값은 $f(1) \neq f(2)$이므로 $n-1$개, $f(3)$이 될 수 있는 값은 $f(2) \neq f(3)$이므로 $n-1$개이고, 따라서 $g(n) = n(n-1)^2$이다.

일반적으로 $g(n)$은 S와 상관없이 n에 대한 k차 다항식이 되고 최고차항의 계수가 1이라는 사실이 알려져 있다. 이 정보는 $g(n)$을 구할 때 유용하게 쓸 수 있는데, 위의 예에서 $g(0) = g(1) = 0$이고, $g(2) = 2$이므로 이를 이용하여 $g(n)$을 구할 수 있다.

(나) 필즈메달은 국제수학연맹이 4년마다 개최하는 세계수학자 대회에서 수여하는 상으로 수학계의 가장 권위 있는 상으로 여겨진다. 2022년 열린 세계수학자 대회에서는 허준이 교수가 한국계 최초로 이 상을 수상하였다. 허 교수는 여러 분야를 아우르는 이론을 제시하였고, 특히 이산수학의 여러 미해결 난제를 해결하였다.

허 교수의 주요 업적 중 하나는 위 제시문 (가)에서 얻어지는 k차 다항식 $g(n)$의 m차 항의 계수의 절댓값을 c_m(단, $m \le k$) 라고 할 때, 다음 부등식이 항상 성립하는 것을 증명한 것이다.

모든 $0 < m < k$에 대하여 $c_{m-1}c_{m+1} \le c_m^2$ … (*)

[문제 2-1] (30점) 제시문 (가)를 읽고 물음에 답하여라.

(1) $k=3$이고 S가 공집합일 때, $g(1)+g(2)+g(3)+g(4)+\cdots+g(24)$를 구하여라.

(2) $k=4$이고 $g(n) = n(n-1)(n-2)^2$이 되도록 하는 S를 하나 제시하고 그 이유를 설명하여라.

(3) 집합 S가 $\{(1, 2), (2, 3), (3, 4)\}$일 때 <조건>을 만족하는 함수 $f_1: P_4 \to P_4$와 집합 S가 $\{(1, 2), (2, 3), (3, 4), (1, 4)\}$일 때 <조건>을 만족하는 함수 $f_2: P_4 \to P_4$가 있다. 합성함수 $F = f_1 \circ f_2 : P_4 \to P_4$가 $F(1) = F(2) = F(3) = F(4) = 1$을 만족하는 순서쌍 (f_1, f_2)의 개수를 구하여라.

[문제 2-2] (20점) 제시문 (가)와 (나)를 읽고 물음에 답하여라.

(1) 초항이 a이고 공차가 d인 등차수열 $\{c_n\}$은 부등식 (*)를 만족함을 증명하여라.

(2) 한 고등학생이 주어진 S와 $k=4$에 대하여 함수 $g(n)$을 구한 다음 $g(0) = g(1) = 0$, $g(2) = 24$, $g(3) = 120$이라고 주장하였다. 이 이야기를 들은 고등학생 아주는 이 학생의 계산이 잘못되었다고 예상하였다. 아주는 어떻게 이런 결론을 내릴 수 있었을까?

아주대학교
AJOU UNIVERSITY

답안지(자연계)

지원 학과 (전공)

※감독관 확인란
(서명)

성 명

수험번호								
⓪	⓪	⓪	⓪	⓪	⓪	⓪	⓪	⓪
①	①	①	①	①	①	①	①	①
②	②	②	②	②	②	②	②	②
③	③	③	③	③	③	③	③	③
④	④	④	④	④	④	④	④	④
⑤	⑤	⑤	⑤	⑤	⑤	⑤	⑤	⑤
⑥	⑥	⑥	⑥	⑥	⑥	⑥	⑥	⑥
⑦	⑦	⑦	⑦	⑦	⑦	⑦	⑦	⑦
⑧	⑧	⑧	⑧	⑧	⑧	⑧	⑧	⑧
⑨	⑨	⑨	⑨	⑨	⑨	⑨	⑨	⑨

주민등록번호앞자리(예:940512)					
⓪	⓪	⓪	⓪	⓪	⓪
①	①	①	①	①	①
②	②	②	②	②	②
③	③	③	③	③	③
④	④	④	④	④	④
⑤	⑤	⑤	⑤	⑤	⑤
⑥	⑥	⑥	⑥	⑥	⑥
⑦	⑦	⑦	⑦	⑦	⑦
⑧	⑧	⑧	⑧	⑧	⑧
⑨	⑨	⑨	⑨	⑨	⑨

- 유의사항 -

① 논술답안은 검정색 볼펜으로만 작성하십시오.(빨강이나 파랑색 사용금지)

② 답안지의 문항번호를 확인 후 답안을 작성하십시오.

1번 문항 (반드시 해당 문항과 일치하여야 함)

이 줄 아래는 답안 작성을 하지 말 것

이 줄 위에는 답안 작성을 하지 말 것

2번 문항 (반드시 해당 문항과 일치하여야 함)

이 줄 아래는 답안 작성을 하지 말 것

7. 2022학년도 아주대 수시 논술 (오전)

[문항 1] (50점) 다음 제시문을 읽고 논제에 답하라.

직진하던 빛이 물체에 부딪칠 때 진행 방향이 바뀌어 나아가는 현상을 **빛의 반사**라고 한다. 빛이 원에서 반사될 때, [그림 1−1]에서와 같이 입사각과 반사각의 크기가 같다.

중심이 원점 O이고 반지름이 1인 원 $x^2+y^2=1$을 단위원이라 한다. 점 I(1, 0)에서 빛이 x축과 각 θ(단, $0<\theta<\frac{\pi}{2}$)를 이루며 단위원 내부로 발사되고 계속해서 원에서 반사된다고 하자. 이때, 각 θ를 **발사각**이라 한다. 반사가 일어나는 원 위의 점을 반사지점이라 하고, n번째 반사가 일어나는 반사 지점을 **n번째 반사지점**이라 한다. [그림 1−2]는 점 I(1, 0)에서 발사된 빛이 원 위에 2번 반사된 후, x축 위의 점 P를 통과하는 예를 보여준다. 모든 각의 단위는 라디안(radian)이다.

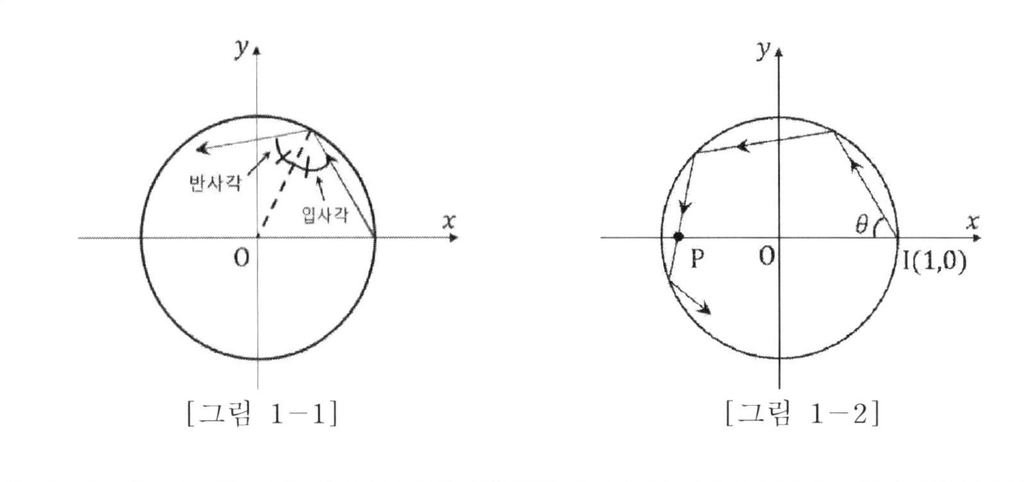

[그림 1−1] [그림 1−2]

[문제 1-1] (25점) [그림 1-2]와 같이 단위원 위의 점 I에서 빛이 발사각 θ를 이루며 발사되어 제 2사분면에서 원 위의 2번째 반사지점을 지나 제 3사분면에서 원 위의 3번째 반사지점을 갖게 된다고 하자.

(1) 발사각 θ의 범위를 구하고, 빛이 통과하는 x축 위의 점 P의 x좌표를 θ를 이용하여 나타내라.

(2) $\theta=\frac{7\pi}{24}$이고 $a=\cos\frac{\pi}{24}$라 할 때, 2번째 반사지점에서 점 P까지 빛이 이동한 거리를 a에 대한 식으로 나타내라.

[문제 1-2] (15점) [그림 1−3]에서 $\angle \mathrm{IOA}=\frac{18\pi}{64}$이고 $\angle \mathrm{IOB}=\frac{21\pi}{64}$이다. 호 AB를 H라 하자. 발사각이 $\theta=\frac{59\pi}{128}$일 때, 점 I에서 발사된 빛이 n번째 반사지점에서 H와 2번째로 만난다고 하자. n을 구하라.

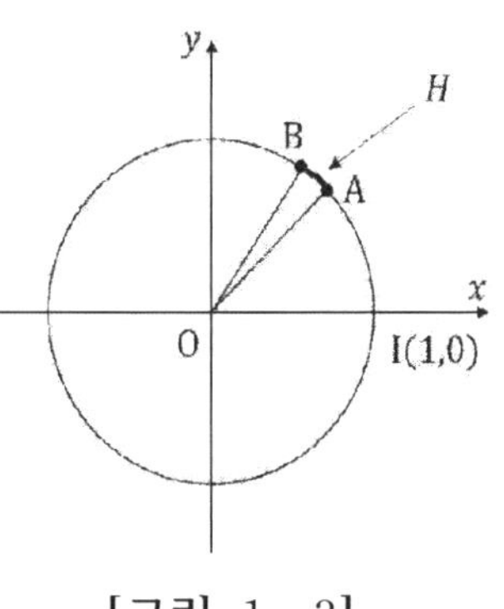

[그림 1−3]

[문제 1-3] (10점) 점 I에서 빛이 발사각 $\theta=\frac{\pi}{\sqrt{6}}$로 발사되었을 때, 점 I가 반사지점이 될 수 없음을 $\sqrt{6}$이 무리수라는 사실을 이용하여 증명하라.

[문항 2] (50점) 다음 제시문을 읽고 논제에 답하라.

양수 a에 대해, 중심이 점 $(a,\ 0)$인 원이 아래 그림과 같이 $x \geq 0$에서 정의된 두 곡선 $y=x^2$, $y=-x^2$과 각각 한 점에서만 만난다. 이때 원의 반지름을 r이라고 하고 원과 곡선 $y=x^2$이 만나는 점을 $(s,\ t)$라고 하자.

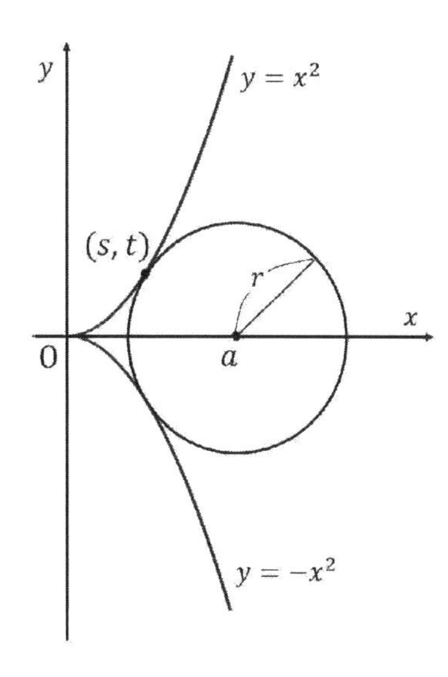

점 $(a,\ 0)$이 x축을 따라 원점으로 다가갈수록 원의 반지름 r은 작아지고, s와 t도 작아진다. 즉, 세 양수 $r,\ s,\ t$는 a에 의존하여 변한다. 특히, 점 $(s,\ t)$는 다음의 식을 만족함이 알려져 있다.

$$t=\frac{a-s}{2s} \text{ 또는 } 2st+s-a=0 \quad \cdots (ㄱ)$$

식 (ㄱ)과 $t=s^2$를 이용하면

$$2s^3+s=a$$

를 얻는다. s는 양수이므로 $0<s<a$이어야 한다. 그러므로 $\lim_{a\to 0+} s=0$이 된다.

[문제 2-1] (10점) 원의 중심 $(a,\ 0)$과 점 $(s,\ t)$를 잇는 선분을 l_1이라 하고 l_1과 x축이 이루는 예각을 θ(라디안)이라고 하자. a가 0에 한없이 가까워질 때, θ가 $\frac{\pi}{2}$에 한없이 가까워짐을 보여라.

[문제 2-2] (20점) $n=0,\ 1,\ 2,\ \cdots$에 대하여 다음의 물음에 답하라.

(1) $\frac{a^n}{r}$을 $a,\ r,\ t$를 포함하지 않는 s만의 식으로 나타내라.

(2) $\lim_{a\to 0+}\frac{a^n}{r}$이 정수가 되는 n을 모두 구하라.

[문제 2-3] (20점) 제시문과 [문제 2-1]을 참고하여 다음의 물음에 답하라.

(1) x축에 대하여 선분 l_1과 대칭인 선분을 l_2라 하자. $x \geq 0$에서 정의된 두 곡선 $y = x^2$, $y = -x^2$과 두 선분 l_1, l_2로 둘러싸인 영역의 넓이를 S라 하자. S를 a, r, t를 포함하지 않는 s만의 식으로 나타내라.

(2) (1)에서 서술한 영역 중 원 내부에 포함된 부분의 넓이를 T라 할 때, $\lim_{a \to 0+} \frac{T}{S}$을 구하라.

아주대학교
AJOU UNIVERSITY

답안지(자연계)

지원 학과 (전공)

※감독관 확인란
(서명)

성 명

수험번호								
⓪	⓪	⓪	⓪	⓪	⓪	⓪	⓪	⓪
①	①	①	①	①	①	①	①	①
②	②	②	②	②	②	②	②	②
③	③	③	③	③	③	③	③	③
④	④	④	④	④	④	④	④	④
⑤	⑤	⑤	⑤	⑤	⑤	⑤	⑤	⑤
⑥	⑥	⑥	⑥	⑥	⑥	⑥	⑥	⑥
⑦	⑦	⑦	⑦	⑦	⑦	⑦	⑦	⑦
⑧	⑧	⑧	⑧	⑧	⑧	⑧	⑧	⑧
⑨	⑨	⑨	⑨	⑨	⑨	⑨	⑨	⑨

주민등록번호앞자리(예:940512)					
⓪	⓪	⓪	⓪	⓪	⓪
①	①	①	①	①	①
②	②	②	②	②	②
③	③	③	③	③	③
④	④	④	④	④	④
⑤	⑤	⑤	⑤	⑤	⑤
⑥	⑥	⑥	⑥	⑥	⑥
⑦	⑦	⑦	⑦	⑦	⑦
⑧	⑧	⑧	⑧	⑧	⑧
⑨	⑨	⑨	⑨	⑨	⑨

- 유의사항 -

① 논술답안은 검정색 볼펜으로만 작성하십시오.(빨강이나 파랑색 사용금지)

② 답안지의 문항번호를 확인 후 답안을 작성하십시오.

1번 문항 (반드시 해당 문항과 일치하여야 함)

이 줄 아래는 답안 작성을 하지 말 것

이 줄 위에는 답안 작성을 하지 말 것

2번 문항 (반드시 해당 문항과 일치하여야 함)

이 줄 아래는 답안 작성을 하지 말 것

8. 2022학년도 아주대 수시 논술 (오후)

[문항 1] (50점) 다음 제시문을 읽고 논제에 답하라.

(가) 짧은 신호 (S)와 긴 신호 (L)만으로 구성된 전신부호를 **모스부호**라 한다. 모스부호에 들어 있는 신호의 총 개수를 그 모스부호의 **길이**라 한다. 예를 들어, SSL은 길이가 3인 모스부호이고, LSLLS는 길이가 5인 모스부호이다. 길이가 n인 모든 모스부호의 개수가 2^n인 것은 자명하다. 아래 조건 (ㄱ)을 만족하며 길이가 n인 모스부호의 개수를 a_n이라 하자.

(ㄱ) 긴 신호(L)가 2개 이상 연속해서 나타나지 않는다.

조건 (ㄱ)을 만족하는 모스부호 중에서 길이가 1인 것은 S, L이므로 $a_1 = 2$, 길이가 2인 것은 SS, SL, LS이므로 $a_2 = 3$, 길이가 3인 것은 SSS, SSL, SLS, LSS, LSL이므로 $a_3 = 5$이다. 따라서, $a_3 = a_2 + a_1$이다. 일반적으로 모든 자연수 n에 대하여

$$a_{n+2} = a_{n+1} + a_n$$

이 성립한다. 그리고 수열 $\left\{\frac{a_{n+1}}{a_n}\right\}$이 수렴한다는 것이 알려져 있다.

(나) 위에서 주어진 조건을 바꾸면 모스부호들의 개수가 달라진다. 아래의 조건 (ㄴ)을 만족하며 길이가 n인 모스부호의 개수를 b_n이라 하자.

(ㄴ) 긴 신호(L)가 3개 이상 연속해서 나타나지 않는다.

조건 (ㄴ)을 만족하는 모스부호 중에서 길이가 1인 것은 S, L이므로 $b_1 = 2$, 길이가 2인 것은 SS, SL, LS, LL이므로 $b_2 = 4$이고, 길이가 3인 것은 SSS, SSL, SLS, SLL, LSS, LSL, LLS이므로 $b_3 = 7$이다. 한편, 수열 $\left\{\frac{b_{n+1}}{b_n}\right\}$이 수렴한다는 것이 알려져 있다.

[문제 1-1] (20점) 제시문 (가)를 읽고 다음 질문에 답하라.

(1) 모든 자연수 n에 대하여 다음 부등식이 성립함을 수학적 귀납법을 이용하여 증명하라.

$$\left(\frac{3}{2}\right)^n \le a_n \le 2^n$$

(2) $A = \lim_{n\to\infty}\frac{a_{n+1}}{a_n}$라 하자. A의 값을 구하라.

[문제 1-2] (30점) 제시문 (나)를 읽고 다음 질문에 답하라.

(1) 모든 자연수 n에 대하여 성립하는 b_n, b_{n+1}, b_{n+2}, b_{n+3}의 관계식을 구하라.

(2) $B = \lim_{n\to\infty}\frac{b_{n+1}}{b_n}$라 하자. 부등식 $\frac{3}{2} < B < 2$이 성립함을 증명하라.

[문항 2] (50점) 다음 제시문을 읽고 논제에 답하라.

(가) 자연수 n에 대하여 함수 $f(x)=\dfrac{1}{n+1}\sin(nx)$의 정의역을 $0 \le x \le \dfrac{\pi}{n}$이라 하자. 예를 들어 $n=2$일 때 함수 $f(x)$의 그래프는 다음과 같다.

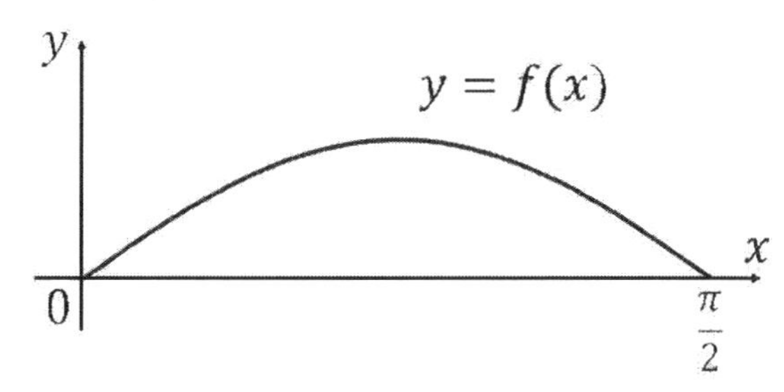

함수 $f(x)$의 그래프와 x축으로 둘러싸인 부분의 넓이 S_n을 정적분을 이용하여 구할 수 있다.

(나) 함수 $f(x)$의 그래프가 위로 볼록하므로 위로 볼록한 그래프를 가지는 이차함수를 이용하여 S_n에 대한 어림값을 구할 수 있다. 자연수 n에 대하여 $f(x)$의 그래프 위의 한 점 $P(\alpha,\ f(\alpha))$(단, $0<\alpha<\dfrac{\pi}{n}$)를 잡고, 세 점 $O(0,\ 0), P(\alpha,\ f(\alpha)), Q\left(\dfrac{\pi}{n},\ 0\right)$을 지나는 이차함수의 그래프와 x축으로 둘러싸인 부분의 넓이를 T_n이라 하면 T_n은 S_n에 대한 어림값이다. 점 P의 위치가 변하면 T_n도 변한다.

(다) 두 함수 $g(x)$, $h(x)$가 공통의 정의역에서 함숫값이 0보다 크고 K는 상수라 하자. 다음 부등식 (ㄱ)이 참이면 부등식 (ㄴ)도 참이다.

$$Kh(x)-g(x)\ge 0 \quad \cdots (ㄱ) \qquad \frac{g(x)}{h(x)}\le K \quad \cdots (ㄴ)$$

[문제 2-1] (15점) 제시문 (가)를 읽고 다음 물음에 답하라.

(1) 각 자연수 n에 대하여 제시문 (가)에서 서술한 S_n을 구하라.

(2) 급수 $\displaystyle\sum_{n=1}^{\infty} S_n$의 값을 구하라.

[문제 2-2] (35점) 제시문을 이용하여 다음 물음에 답하라.

(1) 각 자연수 n에 대하여 제시문 (나)에서 서술한 T_n을 n과 α에 대한 식으로 나타내라.

(2) $\displaystyle\lim_{\alpha\to 0+} T_n$을 구하라.

(3) $n=1$이라 하자. (1)과 제시문 (다)를 이용하여 $\alpha=\dfrac{\pi}{2}$일 때 T_1이 최댓값을 가짐을 증명하라.

(4) (3)을 이용하여 각 자연수 n에 대하여 T_n의 최댓값을 구하라.

아주대학교
AJOU UNIVERSITY

답안지(자연계)

지원 학과 (전공)

※감독관 확인란
(서명)

성 명

수 험 번 호								
⓪	⓪	⓪	⓪	⓪	⓪	⓪	⓪	⓪
①	①	①	①	①	①	①	①	①
②	②	②	②	②	②	②	②	②
③	③	③	③	③	③	③	③	③
④	④	④	④	④	④	④	④	④
⑤	⑤	⑤	⑤	⑤	⑤	⑤	⑤	⑤
⑥	⑥	⑥	⑥	⑥	⑥	⑥	⑥	⑥
⑦	⑦	⑦	⑦	⑦	⑦	⑦	⑦	⑦
⑧	⑧	⑧	⑧	⑧	⑧	⑧	⑧	⑧
⑨	⑨	⑨	⑨	⑨	⑨	⑨	⑨	⑨

주민등록번호앞자리(예:940512)					
⓪	⓪	⓪	⓪	⓪	⓪
①	①	①	①	①	①
②	②	②	②	②	②
③	③	③	③	③	③
④	④	④	④	④	④
⑤	⑤	⑤	⑤	⑤	⑤
⑥	⑥	⑥	⑥	⑥	⑥
⑦	⑦	⑦	⑦	⑦	⑦
⑧	⑧	⑧	⑧	⑧	⑧
⑨	⑨	⑨	⑨	⑨	⑨

- 유의사항 -

① 논술답안은 검정색 볼펜으로만 작성하십시오.(빨강이나 파랑색 사용금지)

② 답안지의 문항번호를 확인 후 답안을 작성하십시오.

1번 문항 (반드시 해당 문항과 일치하여야 함)

이 줄 아래는 답안 작성을 하지 말 것

이 줄 위에는 답안 작성을 하지 말 것

2번 문항 (반드시 해당 문항과 일치하여야 함)

이 줄 아래는 답안 작성을 하지 말 것

9. 2022학년도 아주대 모의 논술

[문항 1] (50점) 다음 제시문을 읽고 논제에 답하라.

1보다 큰 자연수 n개로 이루어진 수열 $a_1, a_2, \cdots, a_n$을 기본수열이라 하자. 주어진 기본수열에 대해, 다음과 같이 수열 $b_1, b_2, \cdots, b_n$을 귀납적으로 정의한다.

[수열 $b_1, b_2, \cdots, b_n$의 귀납적 정의]

(a) $b_1 = a_1$

(b) $1 < k \le n$인 자연수 k에 대해, $b_k = a_k - \dfrac{1}{b_{k-1}}$

주어진 기본수열로부터 위와 같이 귀납적으로 정의된 수열 $b_1, b_2, \cdots, b_n$을 제1유도수열이라 하자. 제1유도수열의 각 항은 양의 유리수임을 알 수 있다. 제1유도수열의 각 항을 기약분수로 나타내고 그 분자를 순서대로 나열하면 자연수로 이루어진 새로운 수열 $c_1, c_2, \cdots, c_n$을 얻을 수 있고 이를 제2유도수열이라 하자.

따라서 제1유도수열과 제2유도수열은 모두 n개의 항으로 이루어진 수열이고, 이때 제n항을 끝항이라 하자. 즉, 제1유도수열의 끝항은 b_n이고, 제2유도수열의 끝항은 c_n이다.

예를 들어, 기본수열 $a_1 = 4,\ a_2 = 2,\ a_3 = 3$에 대해, 제1유도수열은

$$b_1 = 4,\ b_2 = 2 - \frac{1}{4} = \frac{7}{4},\ b_3 = 3 - \frac{1}{\frac{7}{4}} = \frac{17}{7}$$

이고, 끝항은 $b_3 = \dfrac{17}{7}$이다. 이때 제2유도수열은

$$c_1 = 4,\ c_2 = 7,\ c_3 = 17$$

이고, 끝항은 $c_3 = 17$이다.

[문제 1-1] (10점) 기본수열 $a_1 = 3,\ a_2 = 2,\ a_3 = 2,\ \cdots,\ a_{n-1} = 2,\ a_n = 3$에 대해, 제2유도수열의 끝항은 짝수이고 끝항을 제외한 모든 항은 홀수임을 보여라. (단, $n \ge 4$)

[문제 1-2] (15점) 기본수열 $a_1 = 2,\ a_2 = 2,\ \cdots,\ a_n = 2$에 대해, 기약분수로 나타낸 제1유도수열의 제k항 b_k를 k에 대한 식으로 구하고, 이 식이 성립함을 수학적 귀납법으로 증명하라.

[문제 1-3] (10점) 제1유도수열의 끝항이 $\frac{25}{4}$인 기본수열을 구하라.

[문제 1-4] (15점) s와 t가 서로 소인 두 자연수이고 $s > t$이다. 제1유도수열의 끝항이 $\frac{s}{t}$인 기본수열이 항상 존재한다는 것을 증명하라.

[문제 2-1] (30점) n개의 실근을 갖는 n차 다항식 $f(x)$에 대하여 새로운 n차 다항식

$$g(x) = f'(x) - f(x)$$

을 생각하자. 다항식 $f(x)$의 서로 다른 두 실근 사이에 또 다른 실근이 더 이상 없는 경우, 두 실근이 이웃하고 있다고 한다. 다항식 $f(x)$의 이웃한 두 실근 α, β에 대하여 다음을 증명하라. (단, $\alpha < \beta$) 아래에서 자연수 m은 항상 1보다 크다고 가정한다.

(1) α가 $f(x)$의 m중근이면, α는 $g(x)$의 $(m-1)$ 중근이다.

(2) α, β가 모두 $f(x)$의 단근이면, $g(x)$의 실근이 α와 β 사이에 적어도 한 개 존재한다.

(3) α가 $f(x)$의 단근이고 β는 $f(x)$의 m 중근이면, $g(x)$의 실근이 α와 β 사이에 적어도 한 개 존재한다.

[문제 2-2] (10점) n차 다항식 $f(x)$가 n개의 실근을 가지면, 0이 아닌 고정된 실수 a, b에 대하여 다항식

$$h(x) = f''(x) - (a+b)f'(x) + abf(x)$$

도 n개의 실근을 가짐을 제시문의 사실 (라)를 이용하여 보여라.

[문제 2-3] (10점) 다음 조건을 만족하는 0이 아닌 실수 c, d와 2차 다항식 $f(x)$의 예를 제시하고, 제시한 예가 조건을 만족함을 보여라.

[조건1] $f(x)$는 실근을 갖지 않는다.
[조건2] $h(x) = f''(x) - (c+d)f'(x) + cdf(x)$는 2개의 실근을 갖는다.

아주대학교
AJOU UNIVERSITY

답안지(자연계)

지원 학과 (전공)

※감독관 확인란
(서명)

성 명

수 험 번 호								
⓪	⓪	⓪	⓪	⓪	⓪	⓪	⓪	⓪
①	①	①	①	①	①	①	①	①
②	②	②	②	②	②	②	②	②
③	③	③	③	③	③	③	③	③
④	④	④	④	④	④	④	④	④
⑤	⑤	⑤	⑤	⑤	⑤	⑤	⑤	⑤
⑥	⑥	⑥	⑥	⑥	⑥	⑥	⑥	⑥
⑦	⑦	⑦	⑦	⑦	⑦	⑦	⑦	⑦
⑧	⑧	⑧	⑧	⑧	⑧	⑧	⑧	⑧
⑨	⑨	⑨	⑨	⑨	⑨	⑨	⑨	⑨

주민등록번호앞자리(예:940512)					
⓪	⓪	⓪	⓪	⓪	⓪
①	①	①	①	①	①
②	②	②	②	②	②
③	③	③	③	③	③
④	④	④	④	④	④
⑤	⑤	⑤	⑤	⑤	⑤
⑥	⑥	⑥	⑥	⑥	⑥
⑦	⑦	⑦	⑦	⑦	⑦
⑧	⑧	⑧	⑧	⑧	⑧
⑨	⑨	⑨	⑨	⑨	⑨

- 유의사항 -

① 논술답안은 검정색 볼펜으로만 작성하십시오.(빨강이나 파랑색 사용금지)

② 답안지의 문항번호를 확인 후 답안을 작성하십시오.

1번 문항 (반드시 해당 문항과 일치하여야 함)

이 줄 아래는 답안 작성을 하지 말 것

이 줄 위에는 답안 작성을 하지 말 것

2번 문항 (반드시 해당 문항과 일치하여야 함)

이 줄 아래는 답안 작성을 하지 말 것

10. 2021학년도 아주대 수시 논술 (오전)

[문항 1] 다음 제시문을 읽고 논제에 답하시오.

(가) 양의 정수 n에 대하여 n개의 실수 x_1, $\cdots$, x_n (단, $x_1 \le x_2 \le \cdots \le x_n$)을 사용하여 함수 $B(x)$를 다음과 같이 정의한다.

$$B(x) = \sum_{k=1}^{n} |x - x_k| = |x - x_1| + |x - x_2| + \cdots + |x - x_n|$$

함수 $y = B(x)$의 그래프는 구간 $(-\infty, x_1]$과 구간 $[x_n, \infty)$에서 기울기가 각각 $-n$과 n인 직선이 되며, $x_k \ne x_{k+1}$이면 닫힌구간 $[x_k, x_{k+1}]$에서도 직선이다. 이와 같이 $y = B(x)$의 그래프에 나타나는 직선의 기울기의 집합을 S라 하자. $-n$과 n은 항상 S의 원소이며 S의 원소의 개수는 $n+1$이하이다.

아래 왼쪽 그림은 $y = B(x)$의 그래프에 나타나는 직선의 기울기는 -3, -1, 1, 3이므로 $S = \{-3, -1, 1, 3\}$이다.

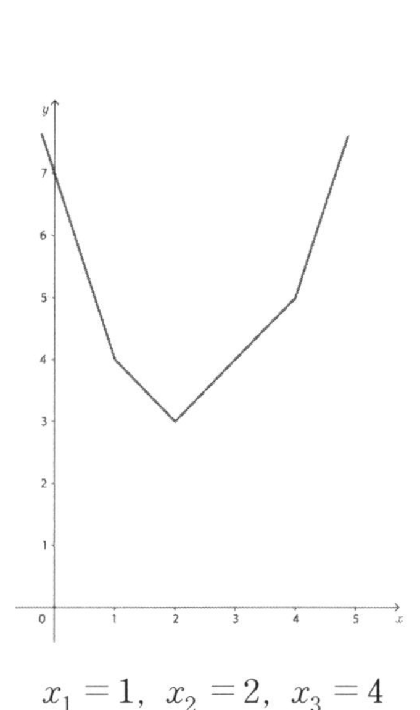

$x_1 = 1$, $x_2 = 2$, $x_3 = 4$

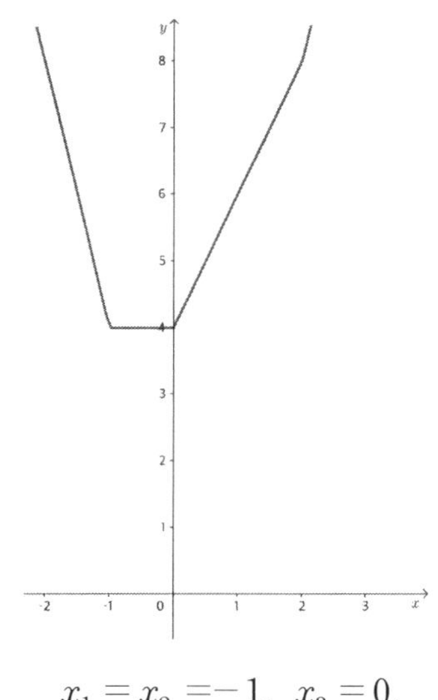

$x_1 = x_2 = -1$, $x_3 = 0$, $x_4 = 2$

(나) 함수 $f(x)$와 두 실수 x_1과 x_2에 대해, 함수 $C(x)$를 다음과 같이 정의한다.

$$C(x) = (f(x) - f(x_1))^2 + (f(x) - f(x_2))^2$$

실수 a에 대해 $C(a) = 0$이면, $(f(a) - f(x_1))^2 = (f(a) - f(x_2))^2 = 0$이므로 $f(a) = f(x_1) = f(x_2)$이다.

[1-1] 제시문 (가)를 읽고 다음 물음에 답하여라.

(1) $n = 401$이고 모든 $1 \le k \le n$에 대하여 $x_k = k$인 n개의 정수 x_1, x_2, $\cdots$, x_n을 사용하여 함수 $B(x)$를 만들 때, $B(x)$의 최솟값을 구하여라.

(2) 서로 다른 n개의 실수 x_1, x_2, $\cdots$, x_n을 사용하여 함수 $B(x)$와 집합 S를 만들 때,

S의 원소의 제곱의 합을 a_n이라 하자. $\lim_{n\to\infty}\frac{a_n}{n^3}$의 값을 구하여라.

(3) 2 이상의 짝수 n에 대해, $1 \le x_1 \le x_2 \le \cdots \le x_n \le 3$을 만족하는 n개의 정수 x_1, x_2, $\cdots$, x_n을 사용하여 함수 $B(x)$와 집합 S를 만들자. S 의 원소의 곱이 양수가 되게 하는 모든 순서쌍 $(x_1, x_2, \cdots, x_n)$의 개수를 n에 대한 식으로 나타내어라.

(4) 모든 $1 \le k \le n$에 대하여 $-1 < x_k < 1$인 n개의 실수 x_1, x_2, $\cdots$, x_n을 사용하여 함수 $B(x)$를 만들자.
방정식 $B(x) = n$의 해가 닫힌구간 $[-1, 1]$에 존재하는지 여부를 판단하고 그 이유를 서술하여라.

[1-2] 제시문 (나)를 읽고 다음 물음에 답하여라.

(1) 함수 $f(x) = \sec x$와 $x_1 = 0$, $x_2 = \frac{\pi}{3}$를 사용하여 함수 $C(x)$를 만들 때, $\int C(x)\tan x\,dx$를 구하여라.

(2) 함수 $f(x) = e^{3x} - \cos^2(\pi x)$를 사용하여 함수 $C(x)$를 만들었더니 $\lim_{x\to1}\frac{C(x)}{(\ln x)^2}$가 실수 L로 수렴하였다. 이때 L의 값을 구하여라.

[문항 2] (50점) 다음 제시문을 읽고 논제에 답하라.

(가) [그림 2−1]과 같이 삼등분 된 모양의 깃발에 인접한 영역을 다른 색으로 칠한 것을 삼색기라 한다. 이때 회전하거나 뒤집어서 두 깃발이 같아지더라도 이들은 서로 다른 것으로 간주한다.

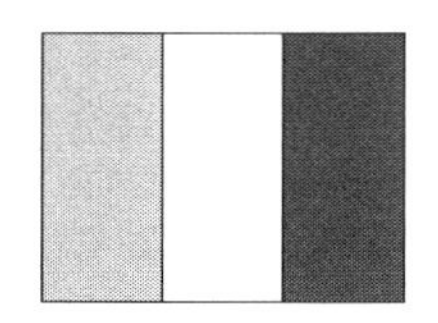

[그림 2−1]

양의 정수 k에 대하여, k가지의 색을 사용하여 삼색기를 만드는 경우의 수를 $r(k)$라 하자. 예를 들어, 삼색기의 이웃하는 영역은 서로 다른 색을 가져야 하므로 곱의 법칙에 의해 $r(2)=2\times1\times1=2$이고, $r(3)=3\times2\times2=12$임을 알 수 있다.

(나) 양의 정수 $n(n\ge2)$에 대하여, n개의 직사각형으로 구성된 깃발이 있고, $1\le k\le n$인 정수 k에 대하여 k번째 직사각형의 가로의 길이는 $\dfrac{1}{k}$이고 세로의 길이는 1로 일정하다. 각 k번째 직사각형을 $k+1$개의 합동인 작은 직사각형으로 다시 쪼개어 이 중 한 개를 검은색으로 색칠하고 나머지는 검은색이 아닌 색으로 칠한다. 검은색으로 칠해진 모든 직사각형의 넓이의 합을 b_n, 나머지 부분의 넓이를 a_n이라 하자. [그림 2−2]는 $n=3$일 때 그려지는 깃발의 예이다.

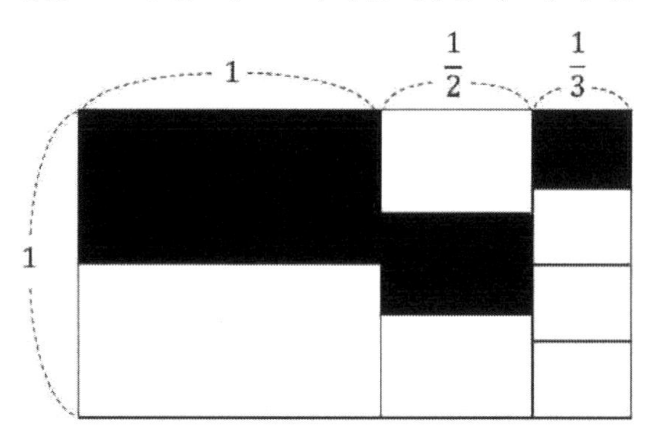

[그림 2−2]

(다) 가로와 세로의 길이가 모두 2인 정사각형 모양의 깃발이 [그림 2−3]의 왼쪽 그림과 같이 좌표평면에 놓여있다. 이때 정사각형의 각 변은 직선 $x=1, x=-1$, $y=1$, $y=-1$의 일부이다. 함수 $f(x)$에 대하여, 깃발이 $y=f(x)$의 그래프와 y축에 의하여 같은 넓이를 가진 네 영역으로 나눠질 때, $f(x)$가 <u>'균형 잡힌 깃발'</u>을 만든다고 하자. 예를 들어 깃발이 $f(x)=\dfrac{1}{2}\sin2\pi x$의 그래프와 y축에 의하여 같은 넓이를 가진 네 영역으로 나눠지므로 함수 $f(x)$가 균형 잡힌 깃발을 만든다. ([그림

2−3] 참조)

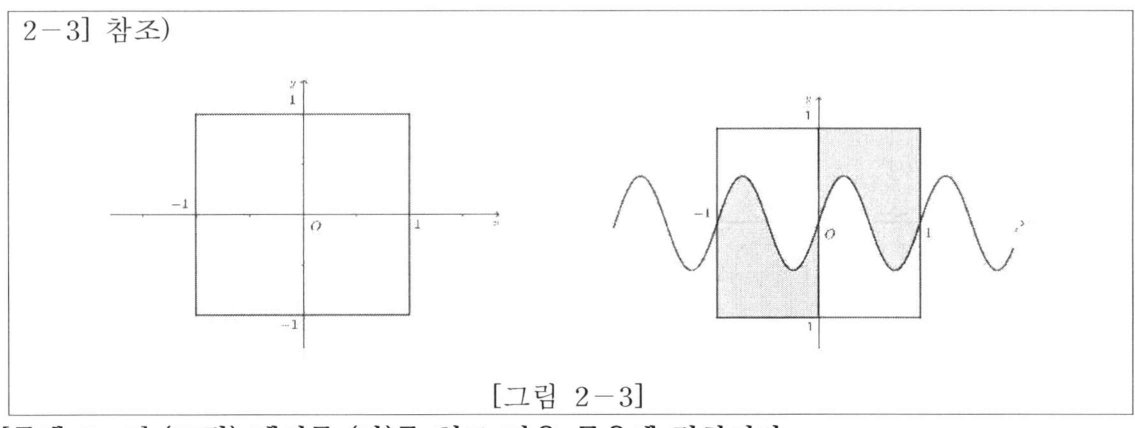

[그림 2−3]

[문제 2−1] (22점) 제시문 (가)를 읽고 다음 물음에 답하여라.

(1) $\sum_{k=2}^{n} r(k)$을 n에 대한 식으로 나타내어라.

(2) 5가지의 색을 사용한 $r(5)$개의 모든 삼색기 중에서 임의로 2개를 골랐을 때, 각 깃발에 사용된 색의 집합이 서로소일 확률을 구하여라.

(3) 아래의 그림과 같은 모양을 가진 두 깃발 A와 B가 있다. 3가지의 색을 이용하여 인접한 영역이 서로 다른 색을 가지도록 칠하는 경우의 수를 각각 구하여라. (단, 회전하거나 뒤집어서 두 깃발이 같아지더라도 이들은 서로 다른 것으로 간주한다.)

깃발 A　　　　깃발 B

[문항 2−2] (10점) 제시문 (나)에서 $\lim_{n \to \infty} a_n$과 $\lim_{n \to \infty} (b_n)^{2n+2}$의 수렴, 발산을 각각 조사하고, 수렴한다면 그 값을 구하여라.

[문항 2−3] (18점) 제시문 (다)를 읽고 다음 물음에 답하여라.

(1) 함수 $f(x) = \frac{1}{2}\cos^3\left(\frac{\pi}{2}x\right) + a$(단, $|a| \leq \frac{1}{2}$) 이 균형 잡힌 깃발을 만들 때, a의 값을 구하여라.

(2) 이차함수 $f(x) = 2 - bx^2$(단, $b > 3$) 이 균형 잡힌 깃발을 만들 때, $\sqrt{b}$의 값을 구하여라.

아주대학교 AJOU UNIVERSITY

답안지(자연계)

자원 학과 (전공)

※감독관 확인란	성 명
(서명)	

수 험 번 호

주민등록번호앞자리(예:940512)

- 유의사항 -

① 논술답안은 검정색 볼펜으로만 작성하십시오.(빨강이나 파랑색 사용금지)

② 답안지의 문항번호를 확인 후 답안을 작성하십시오.

1번 문항 (반드시 해당 문항과 일치하여야 함)

이 줄 아래는 답안 작성을 하지 말 것

이 줄 위에는 답안 작성을 하지 말 것

2번 문항 (반드시 해당 문항과 일치하여야 함)

이 줄 아래는 답안 작성을 하지 말 것

11. 2021학년도 아주대 수시 논술 (오후)

[문항 1-1] 다음 제시문을 읽고 논제에 답하시오.

(가) 두 함수 $f(x)$와 $g(x)$에 대하여 $f(a)=g(a)$를 만족하면 두 함수 $f(x)$와 $g(x)$가 $x=a$에서 '*만난다*' 고 하고, 함수

$$h(x)=\begin{cases} f(x) & (x \le a) \\ g(x) & (x > a) \end{cases}$$

를 $f(x)$에서 $g(x)$로 $x=a$에서 '*갈아타는 함수*' 라 하자. 또한 $x=a$에서 만나는 두 함수 $f(x)$와 $g(x)$ 에 대하여, $f(x)$와 $g(x)$가 각각 $x=a$에서 미분가능하고 $f'(a)=g'(a)$이면, 두 함수 $f(x)$와 $g(x)$가 $x=a$에서 '*부드럽게 만난다*' 고 하자.

예를 들어, 두 함수 $f(x)=x^2+2x$와 $g(x)=-x^2+2x$에 대하여, $f(0)=g(0)=0$이고 $f'(0)=g'(0)=2$이므로 $f(x)$와 $g(x)$는 $x=0$에서 부드럽게 만난다. [그림 1-1]은 $f(x)$에서 $g(x)$로 $x=0$에서 갈아타는 함수의 그래프이다.

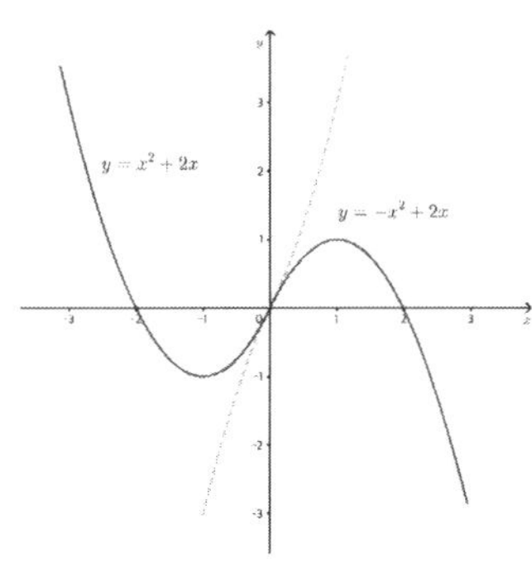

[그림 1-1]

(나) 실수 전체에서 미분가능한 함수 $f(x)$에 대하여, 곡선 $y=f(x)$ 위의 점 P $(a, f(a))$에서의 접선의 기울기는 $x=a$에서의 미분계수 $f'(a)$와 같다. 즉, 곡선 위의 점 P에서의 접선의 방정식을 $y=g(x)$라 하면 $g(a)=f(a)$이고, $g'(a)=f'(a)$이므로, $f(x)$와 $g(x)$는 $x=a$에서 부드럽게 만난다. 따라서 임의의 실수 a에 대해서 $f(x)$와 $x=a$에서 부드럽게 만나는 직선은 존재한다.

함수 $f(x)$와 두 점에서 부드럽게 만나는 이차함수는 존재하지 않을 수 있다. 가령 함수 $f(x)=e^x$과 $x=0$, $x=2$에서 동시에 만나는 이차함수는 항상 찾을 수 있지만, 두 점 모두에서 부드럽게 만나는 이차함수는 존재하지 않는다.

[문제 1-1] (15점) 제시문 (가)를 읽고 다음 물음에 답하여라.

(1) 실수 c에 대하여 두 함수 $f(x)=x^2-3x-6$과 $g(x)=x^3-4x+c$가 $x=a$에서 부드럽게 만난다. a가 정수가 아닐 때, $27c$의 값을 구하여라.

(2) 두 함수 $f(x)=x^4-2x^2-2x$와 $g(x)=\frac{3}{2}x^2-5x+\frac{1}{2}$이 $x=a$에서 부드럽게 만난다. 함수 $h(x)$를 $f(x)$에서 $g(x)$로 $x=a$에서 갈아타는 함수라고 할 때, $\int_0^2 h(x)dx$를 계산하여라

[문제 1-2] (15점) 제시문 (나)를 읽고 다음 물음에 답하여라.

(1) 양의 정수 n에 대해, 함수 $f(x)=2^x$과 $x=a$에서 부드럽게 만나는 직선의 방정식을 $y=a_n x+b_n$ (단, a_n, b_n은 실수)라 할 때, $\sum_{n=1}^{100}\frac{b_n}{a_n}$의 값을 구하여라.

(2) 함수 $f(x)=e^x$과 이차함수 $g(x)$는 $x=0$에서 부드럽게 만나고 $x=2$에서 만난다. 점 $\mathrm{P}(2, e^2)$에서 $y=f(x)$의 접선과 점 P에서의 $y=g(x)$의 접선이 이루는 예각을 θ라 할 때, $\tan\theta$의 값을 구하여라.

[문제 1-3] (20점) 제시문 (가)를 읽고 다음 물음에 답하여라.

(1) 실수 b와 c에 대하여 두 함수 $f(x)=-x^4-2x^2+b$와 $g(x)=-\frac{4}{3}x^3-4x+c$가 $x=a$에서 부드럽게 만난다고 하자. $f(x)$에서 $g(x)$로 $x=a$에서 갈아타는 함수의 최댓값이 20일 때 $3(a+b+c)$의 값을 구하여라.

(2) 실수 d에 대하여 두 함수 $f(x)=\sin 2x+d$와 $g(x)=-\left|x-\frac{\pi}{2}\right|$이 $x=a$에서 부드럽게 만난다고 하자. $f(x)$에서 $g(x)$로 $x=a$에서 갈아타는 함수의 최댓값을 M이라 하면, M이 가장 클 때의 d의 값을 구하여라.

[문항 2] (50점) 다음 제시문을 읽고 논제에 답하라.

(가) 주머니에 빨간 공이 r개, 파란 공이 b개 있다. 주머니에서 공 하나를 임의로 꺼내서 색을 확인한 다음 다시 주머니에 넣고, 방금 꺼낸 공과 같은 색의 공을 하나 더 가져와 주머니에 넣는 것을 1회 시행이라고 하자. 즉, 시행을 1회 할 때마다 주머니 속의 공의 개수는 하나씩 늘어난다. 예를 들어 $r=2$이고 $b=1$인 경우 첫 번째 시행에서 꺼낸 공이 파란 공이면, 첫 번째 시행을 마친 직후 주머니에는 빨간 공과 파란 공이 각각 정확히 2개씩 있다.

(나) 주머니에 빨간 공이 r개, 파란 공이 b개, 흰 공이 w개 있다. 수열 $\{a_n\}$을 음이 아닌 정수로 이루어진 수열이라고 하자. 양의 정수 n에 대하여 n번째 시행에서 공 하나를 임의로 꺼내서 색을 확인한 다음 다시 주머니에 넣고, 방금 꺼낸 공과 같은 색의 공을 a_n개 더 가져와 주머니에 넣는다. 예를 들어 $r=1$, $b=w=2$이고 $a_n=3n$인 경우, 첫 번째 시행에서 꺼낸 공이 빨간 공이면 첫 번째 시행을 마친 직후 주머니에는 빨간 공이 4개, 파란 공과 흰 공이 각각 2개씩 있다. 두 번째 시행에서 꺼낸 공 이 파란 공이면, 두 번째 시행을 마친 직후 주머니에는 빨간 공이 4개, 파란 공이 8개, 흰 공이 2개 있다.

[문제 2-1] (21점) 제시문 (가)를 읽고 다음 물음에 답하여라.

(1) r과 b가 양의 정수일 때, 두 번째 시행에서 꺼낸 공이 빨간 공일 확률을 r, b에 대한 식으로 나타내어라.

(2) $r=2$이고 $b=1$이라 하자. 세 번째 시행에서 꺼낸 공이 빨간 공이었을 때, 두 번째 시행에서 꺼낸 공이 빨간 공이었을 확률을 구하여라.

(3) $r=2$이고 $b=1$인 경우, 2021회 시행을 마친 직후 주머니의 빨간 공과 파란 공의 개수가 같을 확률을 구하여라.

[문제 2-2] (29점) 제시문 (나)를 읽고 다음 물음에 답하여라.

(1) 수열 $\{a_n\}$이 $a_n=n$이고, $r=b=1$, $w=2$라 하자. 2회 시행을 마친 직후 주머니의 흰 공의 개수를 확률변수 X라 할 때, 기댓값 $\mathrm{E}(X)$와 분산 $\mathrm{V}(X)$를 구하여라.

(2) 수열 $\{a_n\}$은 양의 정수로 이루어진 수열이고, $r=b=w=1$이라 하자. 10이하의 모든 양의 정수 n에 대하여 n회 시행을 마친 직후에는 주머니의 공의 개수가 3^n+2이고, 10회 시행을 마친 직후 주머니의 흰 공의 개수는 547이다. 4번째 시행을 마친 직후 주머니의 흰 공의 개수를 구하여라.

(3) 수열 $\{a_n\}$은 모든 양의 정수 n에 대하여 $a_n < a_{n+1}$을 만족하는 음이 아닌 정수로 이루어진 수열이고, $r=b=w=1$이라 하자. 100회 시행을 마친 직후 주머니의 빨간 공, 파란 공, 흰 공의 개수는 각각 2, 12, 4940이다. 파란 공을 꺼낸 횟수를 m이라 할 때, 가능한 m의 값을 모두 구하고 $\sum_{n=1}^{99} \frac{1}{\sqrt{a_n}+\sqrt{a_{n+1}}}$의 값을 구하여라.

아주대학교
AJOU UNIVERSITY

답안지(자연계)

지원 학과 (전공)

※감독관 확인란	성 명
(서명)	

수	험	번	호					
⓪	⓪	⓪	⓪	⓪	⓪	⓪	⓪	⓪
①	①	①	①	①	①	①	①	①
②	②	②	②	②	②	②	②	②
③	③	③	③	③	③	③	③	③
④	④	④	④	④	④	④	④	④
⑤	⑤	⑤	⑤	⑤	⑤	⑤	⑤	⑤
⑥	⑥	⑥	⑥	⑥	⑥	⑥	⑥	⑥
⑦	⑦	⑦	⑦	⑦	⑦	⑦	⑦	⑦
⑧	⑧	⑧	⑧	⑧	⑧	⑧	⑧	⑧
⑨	⑨	⑨	⑨	⑨	⑨	⑨	⑨	⑨

주민등록번호앞자리(예:940512)					
⓪	⓪	⓪	⓪	⓪	⓪
①	①	①	①	①	①
②	②	②	②	②	②
③	③	③	③	③	③
④	④	④	④	④	④
⑤	⑤	⑤	⑤	⑤	⑤
⑥	⑥	⑥	⑥	⑥	⑥
⑦	⑦	⑦	⑦	⑦	⑦
⑧	⑧	⑧	⑧	⑧	⑧
⑨	⑨	⑨	⑨	⑨	⑨

- 유의사항 -

① 논술답안은 검정색 볼펜으로만 작성하십시오.(빨강이나 파랑색 사용금지)

② 답안지의 문항번호를 확인 후 답안을 작성하십시오.

1번 문항 (반드시 해당 문항과 일치하여야 함)

이 줄 아래는 답안 작성을 하지 말 것

이 줄 위에는 답안 작성을 하지 말 것

2번 문항 (반드시 해당 문항과 일치하여야 함)

이 줄 아래는 답안 작성을 하지 말 것

12. 2021학년도 아주대 수시 논술 (저녁)

[문항 1] (50점) 다음 제시문을 읽고 논제에 답하라.

(가) 함수 $f(x)$에 대하여 $y=|f(x)|$의 그래프는 $y=f(x)$의 그래프에서 x축 아래에 있는 부분을 x축에 대하여 대칭이동하여 그릴 수 있다. 이것은 $y=0$에서 $y=f(x)$의 그래프를 접어 올려 그린 것으로 볼 수 있다. 일반적으로, 실수 b에 대하여, $y=|f(x)-b|+b$의 그래프는 $y=f(x)$를 y축의 방향으로 $-b$만큼 평행 이동하여 x축 아래에 있는 부분을 x축에 대하여 대칭이동하고 다시 y축의 방향으로 b만큼 평행 이동하여 그릴 수 있는데, 이 또한 $y=b$에서 함수 $y=f(x)$의 그래프를 접어 올려 그린 것으로 볼 수 있다. 이러한 이유로, 함수 $y=|f(x)-b|+b$를 $y=b$에서 $y=f(x)$를 '*접어 올린 함수*' 라 하자. [그림 1-1]은 $y=2$에서 $y=x^2$을 접어 올린 함수의 그래프이다.

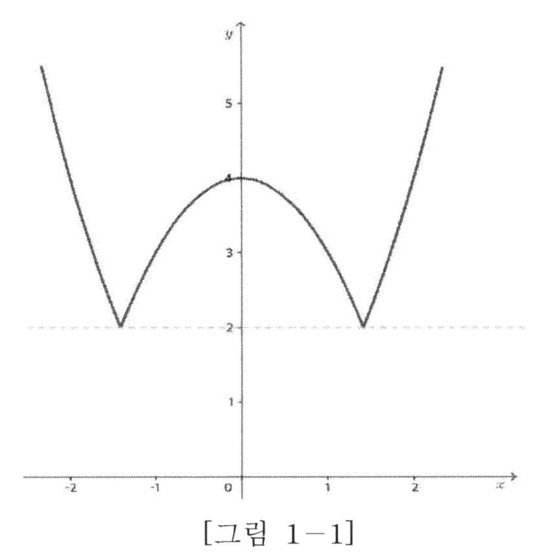

[그림 1-1]

(나) 함수 $y=f(x)$의 그래프를 음이 아닌 정수 n에 대하여 $y=0$, ..., $y=n$에서 차례로 연이어 접어올린 함수의 그래프와 직선 $y=n$이 만나는 점의 x좌표의 집합을 S_n이라 하자. 예를 들어, $f(x)=x$이면, $y=0$, $y=1$, $y=2$에서 순서대로 접어 올린 함수의 그래프는 [그림 1-2]와 같으므로 $S_0=\{0\}$, $S_1=\{-1,\ 1\}$, $S_2=\{-2,\ 0,\ 2\}$이다.

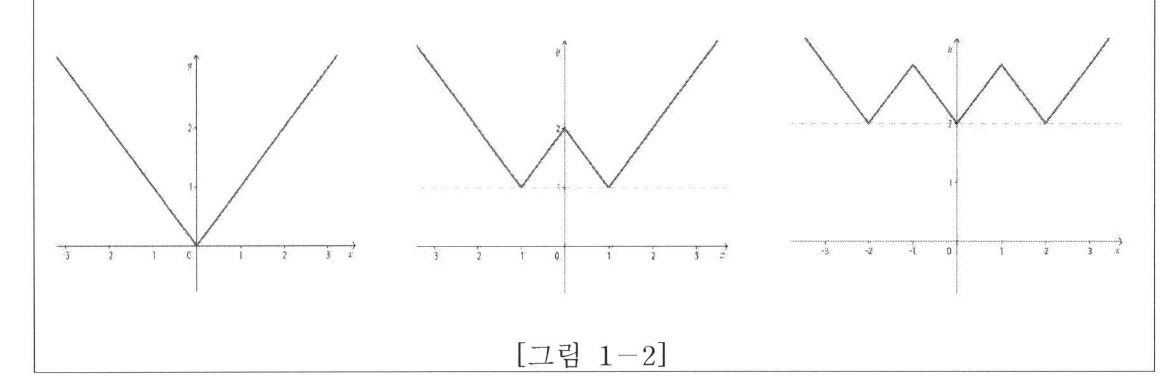

[그림 1-2]

[문제 1-1] (35점) 제시문 (가)를 읽고 다음 물음에 답하여라.

(1) 함수 $f(x)$는 이차함수 $y=(x-2)^2$을 $y=1$에서 접어 올린 함수이다. 곡선 $y=f(x)$와 직선 $y=kx$가 정확히 세 점에서 만나도록 하는 실수 k의 값을 모두 구하여라.

(2) 삼차함수 $f(x)=x^3-3x^2+2x-4$의 그래프의 변곡점 $(a,\ b)$를 생각하자. 함수 $g(x)$는 $y=f(x)$를 $y=b$에서 접어 올린 함수이다. 함수 $g(x)$가 $x=p$에서 극대가 되고 $x=q$에서 극소가 되도록 하는 모든 p와 q의 값을 구하여라.

(3) 함수 $g(x)$는 최고차항의 계수가 1인 삼차함수 $y=f(x)$를 $y=1$에서 접어 올린 함수이고, 함수 $h(x)$는 $y=f'(x)$를 $y=1$에서 접어 올린 함수이다. $g(x)$가 실수 전체에서 미분가능 할 때, 두 곡선 $y=g(x)$와 $y=h(x)$의 교점의 개수를 구하여라.

(4) 양의 실수 a에 대하여, 함수 $f(x)$는 $y=a\tan^3\left(\dfrac{\pi x}{4}\right)$를 $y=0$에서 접어 올린 함수이다. $\displaystyle\int_{-1}^{1} f(x)dx=\frac{4}{\pi}$일 때 a의 값을 구하여라.

[문제 1-2] (15점) 제시문 (나)를 읽고 다음 물음에 답하여라.

(1) 이차함수 $f(x)=(x-7)^2$에 대하여 집합 S_{10}의 원소의 개수를 a라 하고 S_{10}의 모든 원소의 합을 b라 하자. a와 b의 값을 각각 구하여라.

(2) $x>0$에서 정의된 함수 $f(x)=\ln 3x$와 음이 아닌 정수 n에 대하여 S_n의 모든 원소의 곱을 p_n이라 할 때, $\displaystyle\sum_{n=0}^{\infty} p_n$을 구하여라.

[문항 2] (50점) 다음 제시문을 읽고 논제에 답하라.

(가) 수직선의 원점에 검은 바둑돌 b개가 놓여 있다. 한 개의 주사위를 한 번 던져 나온 눈의 수를 확인하고 <검은 바둑돌의 규칙>에 따라 검은 바둑돌을 이동시키거나 버리는 것을 1회의 시행이라 하자.

<검은 바둑돌의 규칙>

㉠ 눈의 수가 1또는 4이면, *원점에 있는* 검은 바둑돌 1개를 $x=1$의 위치로 이동시킨다. 원점에 검은 바둑돌이 없다면 아무 일도 하지 않는다.

㉡ 눈의 수가 2 또는 5이면, *$x=1$의 위치에 있는* 검은 바둑돌 1개를 원점으로 이동시킨다. $x=1$의 위치에 검은 바둑돌이 없다면 아무 일도 하지 않는다.

㉢ 눈의 수가 3또는 6이면, *원점에 있는* 검은 바둑돌 1개를 버린다. 원점에 검은 바둑돌이 없다 면 아무 일도 하지 않는다.

예를 들어, 검은 바둑돌 2개가 원점에 놓여 있고 4회 시행을 하는 동안 주사위 눈의 수가 순서대로 1, 6, 4, 2가 나왔다면, 순서대로 시행한 규칙은 ㉠-㉢-㉠-㉡이 되어 검은 바둑돌의 배치는 [그림 2-1]과 같이 변한다.

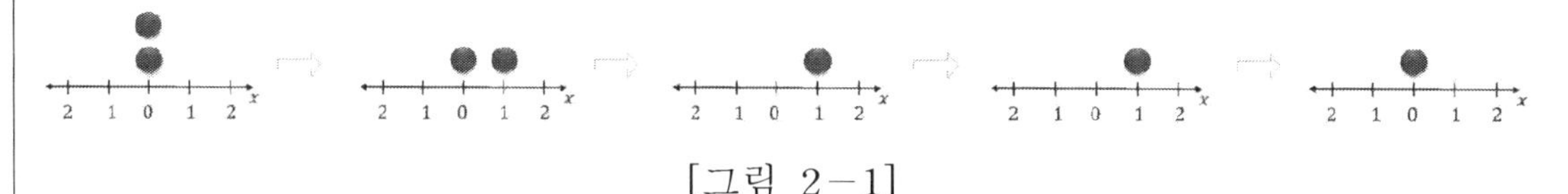

[그림 2-1]

(나) 수직선의 원점에 검은 바둑돌 b개와 흰 바둑돌 1개가 놓여 있다. 한 개의 주사위를 한 번 던져 나온 눈의 수를 확인하고 검은 바둑돌을 제시문 (가)의 <검은 바둑돌의 규칙>에 따라 이동시키거나 버리고, 흰 바둑돌을 <흰 바둑돌의 규칙>에 따라 이동시키는 것을 1회의 시행이라 하자.

<흰 바둑돌의 규칙>

Ⓐ 눈의 수가 짝수이면 흰 바둑돌을 양의 방향으로 1만큼 이동시킨다.

Ⓑ 눈의 수가 홀수이면 흰 바둑돌을 음의 방향으로 1만큼 이동시킨다.

예를 들어 검은 바둑돌 2개, 흰 바둑돌 1개가 원점에 놓여 있고 4회 시행을 하는 동안 주사위 눈의 수가 순서대로 1, 6, 4, 2가 나왔다면, 검은 바둑돌 1개가 원점에 있고 흰 바둑돌은 $x=2$의 위치에 있다.

[문제 2-1] (24점) 제시문 (가)를 읽고 다음 물음에 답하여라.

(1) 수직선의 원점에 검은 바둑돌 1개가 놓여 있다. 3회 시행 직후 검은 바둑돌이 수직선 위에 남아 있지 않을 확률을 p라 할 때, $\log p$의 값을 구하여라.

(단, $\log 2=0.30$, $\log 3=0.47$, $\log 7=0.84$로 계산한다.)

(2) 수직선의 원점에 검은 바둑돌 1개가 놓여 있다. 12회 시행을 하였을 때, $2, 4, 6, 8, 10, 12$번째 시행 직후마다 검은 바둑돌이 원점에 있지 않는 사건을 A라 하고, 12번째 시행 직후 수직선 위에 검은 바둑돌이 남아 있는 사건을 B라 하자. 이때 $\mathrm{P}(B|A)<\dfrac{3}{92}$임

을 증명하여라. (단, $\left(\frac{5}{9}\right)^5 < \frac{19}{359}$를 증명 없이 이용할 수 있다.)

(3) 수직선의 원점에 검은 바둑돌 2개가 놓여 있고 3회 시행을 하였다. 수직선 위에 남아 있는 검은 바둑돌의 개수를 확률변수 X라 할 때, X의 기댓값 $\mathrm{E}(X)$와 표준편차 $\sigma(X)$를 구하여라.

[문제 2-2] (26점) 제시문 (나)를 읽고 다음 물음에 답하여라.

(1) 수직선의 원점에 흰 바둑돌 1개가 놓여 있다. 양의 정수 n에 대하여 n회 시행 직후 흰 바둑돌이 $x=k$의 위치에 있을 확률을 p_k라 할 때, $\sum_{k=1}^{n} k^2(p_k+p_{-k})$의 값을 n에 대한 식으로 나타내어라.

(2) 수직선의 원점에 검은 바둑돌 3개와 흰 바둑돌 1개가 놓여 있다. 3이상의 정수 n에 대하여 n회 시행 직후 바둑돌 배치로 가능한 경우의 수를 n에 대한 식으로 나타내어라.

(3) 수직선의 원점에 검은 바둑돌 4개와 흰 바둑돌 1개가 놓여 있고, 13회 시행을 하여 나온 주사위의 눈의 수를 순서대로 x_1, …, x_{13}이라 하자. 다음 <조건>을 만족시키는 모든 순서쌍 $(x_1, x_2, \ldots, x_{13})$의 개수를 구하여라.

〈조건 〉

① 첫 12회 시행을 하는 동안 모든 주사위의 눈이 정확히 두 번씩 나왔다.

② 13번째 시행을 마친 직후에는 검은 바둑돌 4개와 흰 바둑돌이 모두 $x=1$의 위치에 있다.

아주대학교
AJOU UNIVERSITY

답안지(자연계)

지원 학과 (전공)

※감독관 확인란	성 명
(서명)	

수 험 번 호								
⓪	⓪	⓪	⓪	⓪	⓪	⓪	⓪	⓪
①	①	①	①	①	①	①	①	①
②	②	②	②	②	②	②	②	②
③	③	③	③	③	③	③	③	③
④	④	④	④	④	④	④	④	④
⑤	⑤	⑤	⑤	⑤	⑤	⑤	⑤	⑤
⑥	⑥	⑥	⑥	⑥	⑥	⑥	⑥	⑥
⑦	⑦	⑦	⑦	⑦	⑦	⑦	⑦	⑦
⑧	⑧	⑧	⑧	⑧	⑧	⑧	⑧	⑧
⑨	⑨	⑨	⑨	⑨	⑨	⑨	⑨	⑨

주민등록번호앞자리(예:940512)					
⓪	⓪	⓪	⓪	⓪	⓪
①	①	①	①	①	①
②	②	②	②	②	②
③	③	③	③	③	③
④	④	④	④	④	④
⑤	⑤	⑤	⑤	⑤	⑤
⑥	⑥	⑥	⑥	⑥	⑥
⑦	⑦	⑦	⑦	⑦	⑦
⑧	⑧	⑧	⑧	⑧	⑧
⑨	⑨	⑨	⑨	⑨	⑨

- 유의사항 -

① 논술답안은 검정색 볼펜으로만 작성하십시오.(빨강이나 파랑색 사용금지)

② 답안지의 문항번호를 확인 후 답안을 작성하십시오.

1번 문항 (반드시 해당 문항과 일치하여야 함)

이 줄 아래는 답안 작성을 하지 말 것

이 줄 위에는 답안 작성을 하지 말 것

2번 문항 (반드시 해당 문항과 일치하여야 함)

이 줄 아래는 답안 작성을 하지 말 것

VI. 예시 답안

1. 2024학년도 아주대 수시 논술 (오전)

[문제 1－1] (20점) 제시문 (가)를 읽고 물음에 답하시오.

(1) (8점) $f(x)=\dfrac{x^2}{2}-2$이고 $g(x)=\log_2 x$일 때, 닫힌구간 $[2,\ 3]$에서 $h(x)$의 최댓값과 최솟값을 구하시오.

(2) (12점) $f(x)=\sin 2x$이고 $g(x)=\dfrac{3}{4}\cos x$일 때, 열린구간 $(-\pi,\ \pi)$에서 함수 $h(x)$가 극솟값을 갖는 x의 값 중 가장 큰 값을 α라 하자. $\tan\alpha$의 값을 구하시오.

[문제 1－2] (30점) 제시문 (나)를 읽고 물음에 답하시오.

(1) (8점) $t=\dfrac{1}{3}$일 때, $\sin\theta$의 값을 구하시오.

(2) (10점) $\displaystyle\int_0^{\pi} A(\theta)d\theta$의 값을 구하시오.

(3) (12점) $\displaystyle\lim_{\theta\to 0+}\frac{B(\theta)}{\sin\theta}$의 값을 구하시오.

[문제 2－1] (20점) $X=\{n|n$은 자연수 $\}$일 때 물음에 답하시오.

(1) (8점) 함수 $f:X\to X$는 $f(3)=3$인 2－상수함수이다. 자연수 n에 대하여

$a_n=(f\circ f\circ f)(n)$이라 할 때, $\displaystyle\sum_{n=1}^{2024}a_n$의 값을 구하시오.

(2) (12점) 자연수 k에 대하여 함수 $f:X\to X$는 $f(n)=\begin{cases} n+3 & (n<k) \\ k+3 & (n\ge k)\end{cases}$라 하자.

f가 2-상수함수는 아니면서 3-상수함수가 되도록 하는 k를 모두 구하시오. (단, $k>1$)

[문제 2－2] (15점) 집합 $X=\{1,\ 2,\ 3,\ 4\}$일 때, 다음 <조건>을 만족시키는 4－상수함수 $f:X\to X$를 모두 구하시오.

<조건>
① $(f\circ f\circ f\circ f)(1)=4$
② $f(1)\le f(2)\le f(3)\le f(4)$

[문제 2－3] (15점) 집합 $X=\{1,\ 2,\ 3\}$일 때, 명제 '어떤 자연수 n에 대하여 함수 $g:X\to X$는 n-상수함수이다.'가 참이 되도록 하는 함수 $g:X\to X$의 개수를 구하시오.

[문제 1−1]

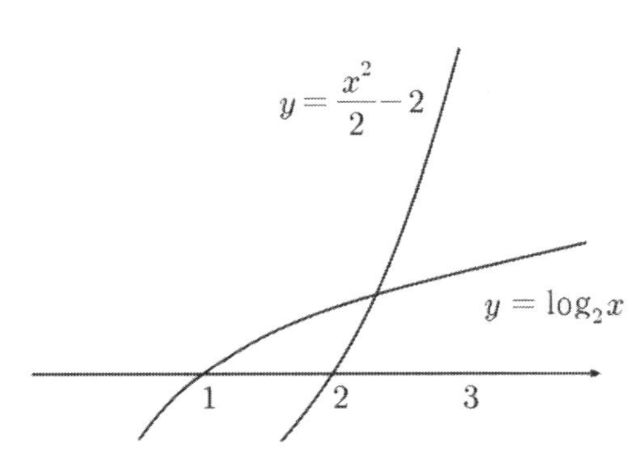

(1) 두 함수 $y=f(x)$**와** $y=g(x)$**의 그래프는 그림과 같다.**

$g(3)<2<f(3)$**이므로 닫힌구간** $[2,\ 3]$**에서 함수** $h(x)$**의 최댓값은** $h(3)=f(3)=\frac{5}{2}$**이다.** $f(2)=0<g(2)=1$**이므로 닫힌구간** $[2,\ 3]$**에서 함수** $h(x)$**의 최솟값은** $h(2)=g(2)=1$ **이다.**

(2) 두 함수 $y=f(x)$**와** $y=g(x)$**의 그래프는 그림과 같다.**

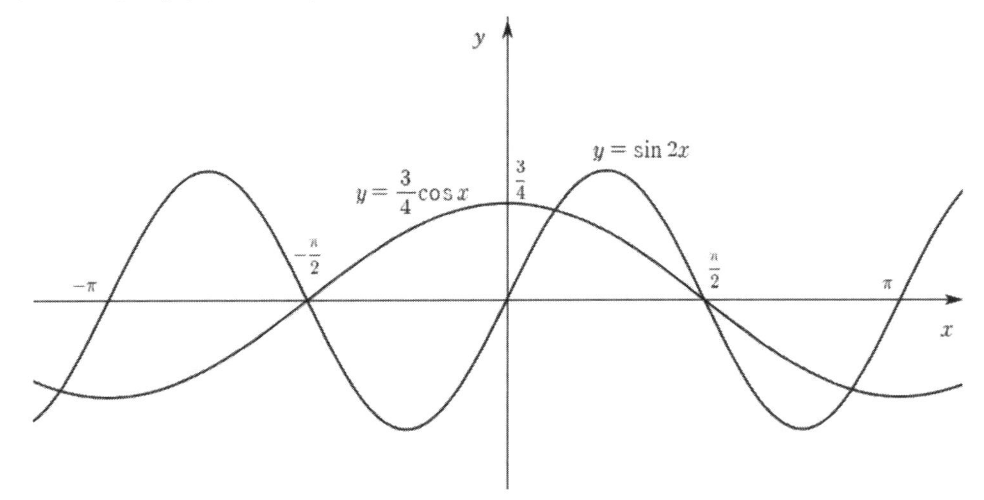

따라서 열린구간 $(-\pi,\ \pi)$**에서 두 곡선** $y=f(x)$**와** $y=g(x)$**의 교점 중** x**좌표가 가장 큰 값이** α**이고** $\sin 2\alpha=\frac{3}{4}\cos\alpha$**이다. 삼각함수의 덧셈정리에 의하여**

$$\sin 2\alpha=\sin\alpha\cos\alpha+\cos\alpha\sin\alpha=2\sin\alpha\cos\alpha$$

이므로 $2\sin\alpha\cos\alpha=\frac{3}{4}\cos\alpha$**이다.** $\cos\alpha\neq 0$**이므로** $\sin\alpha=\frac{3}{8}$**이다.** $\frac{\pi}{2}<\alpha<\pi$**이므로** $\tan\alpha=-\frac{3\sqrt{55}}{55}$**이다.**

[문제 1−2]

(1) 점 P와 점 Q는 원 C **위의 점이므로 두 점의** x**좌표를 구하면** $-\frac{2\sqrt{2}}{3}$**와** $\frac{2\sqrt{2}}{3}$**이다.**

즉, $\overline{\mathrm{PQ}}=\frac{4\sqrt{2}}{3}$이다. 따라서 삼각형 OPQ의 넓이는 $\frac{1}{2}\overline{\mathrm{PQ}}\cdot\frac{1}{3}=\frac{2\sqrt{2}}{9}$이다. 한편 삼각형 OPQ는 두 변의 길이가 1이고 그 끼인각의 크기가 θ인 삼각형이므로 삼각형 OPQ의 넓이는 $\frac{1}{2}\sin\theta$이다. 따라서 $\sin\theta=\frac{4\sqrt{2}}{9}$이다.

(2) $0<\theta<\pi$일 때, 반지름이 1이고 중심각의 크기가 θ인 부채꼴의 넓이는 $\frac{\theta}{2}$이고, 길이가 1인 두 변의 끼인각의 크기가 θ인 삼각형 POQ의 넓이는 $\frac{\sin\theta}{2}$이므로

$$A(\theta)=\frac{\theta}{2}-\frac{\sin\theta}{2}$$

이다. $\theta=0$일 때 $A(0)=0$이고, $\theta=\pi$일 때 $A(\pi)=\frac{\pi}{2}$이다. 따라서 닫힌구간 $[0,\ \pi]$에서 $A(\theta)=\frac{\theta}{2}-\frac{\sin\theta}{2}$이다. 그러므로

$$\int_0^\pi A(\theta)d\theta=\int_0^\pi \frac{1}{2}(\theta-\sin\theta)d\theta=\left[\frac{\theta^2}{4}+\frac{\cos\theta}{2}\right]_0^\pi=\left(\frac{\pi^2}{4}-\frac{1}{2}\right)-\frac{1}{2}=\frac{\pi^2}{4}-1$$

이다.

(3) 선분 PQ의 중점을 점 R이라 하면 각 ROQ의 크기는 $\frac{\theta}{2}$이고 삼각형 ROQ의 빗변의 길이가 1이므로 $\overline{\mathrm{RQ}}=\sin\frac{\theta}{2}$이다. 따라서 $\overline{\mathrm{PQ}}=2\sin\frac{\theta}{2}$이고 $B(\theta)=\theta+2\sin\frac{\theta}{2}$이며

$$\lim_{\theta\to0+}\frac{B(\theta)}{\sin\theta}=\lim_{\theta\to0+}\frac{\theta+\overline{\mathrm{PQ}}}{\sin\theta}=\lim_{\theta\to0+}\frac{\theta}{\sin\theta}+\lim_{\theta\to0+}\frac{2\sin\frac{\theta}{2}}{\sin\theta}=1+1=2$$

이다.

(별해) 반지름이 1이고 중심각의 크기가 θ인 부채꼴의 호의 길이는 θ이므로 $B(\theta)=\theta+\overline{\mathrm{PQ}}$이다. 한편 $0<\theta<\pi$일 때, 삼각형 OPQ에 코사인법칙을 적용하면 $\overline{\mathrm{PQ}}=\sqrt{2-2\cos\theta}$이다. 따라서

$$\lim_{\theta\to0+}\frac{B(\theta)}{\sin\theta}=\lim_{\theta\to0+}\frac{\theta+\overline{\mathrm{PQ}}}{\sin\theta}=\lim_{\theta\to0+}\frac{\theta}{\sin\theta}+\lim_{\theta\to0+}\frac{\overline{\mathrm{PQ}}}{\sin\theta}$$

이다.

$$\lim_{\theta\to0+}\frac{\overline{\mathrm{PQ}}}{\sin\theta}=\lim_{\theta\to0+}\frac{\sqrt{2(1-\cos\theta)}}{\sin\theta}=\lim_{\theta\to0+}\frac{\sqrt{2}\sqrt{1-\cos^2\theta}}{\sin\theta\sqrt{1+\cos\theta}}=\lim_{\theta\to0+}\frac{\sqrt{2}}{\sqrt{1+\cos\theta}}=1$$

이므로

$$\lim_{\theta\to0+}\frac{B(\theta)}{\sin\theta}=2$$

이다.

[문제 2-1]

(1) $f(3)=3$**이므로** $(f\circ f)(3)=f(f(3))=f(3)=3$**이다.** f**가 2-상수함수이므로 모든** $n\in X$**에 대하여** $(f\circ f)(n)=3$**이다.**

따라서 모든 $n\in X$**에 대하여**

$$a_n=(f\circ f\circ f)(n)=f((f\circ f)(n))=f(3)=3$$

이다. 그러므로 $\sum_{n=1}^{2024}a_n=3\times 2024=6072$**이다.**

(2) 자연수 m, n**에 대하여** $m>n$**이면** $f(m)\geq f(n)$**이다. 그러므로 함수** $f(n)$**은** $n=1$**에서 최솟값을 갖는다. 같은 방법으로 합성함수** $(f\circ f)(n)$**은** $n=1$**에서 최솟값을 갖고,** $(f\circ f\circ f)(n)$**은** $n=1$**에서 최솟값을 갖는다. 함수** f**는 상수함수가 아니어야 하므로** $f(1)=4$**이다.** f**는 2-상수함수가 아니므로** $k>4$**이고** $(f\circ f)(1)=7$**이다. 함수** f**는 3-상수함수이므로** $k\leq 7$**이어야 한다. 그러므로 가능한** k**의 값은 5, 6, 7이다.**

[문제 2-2]

함수 $f:X\to X$**는 4-상수함수이고** $(f\circ f\circ f\circ f)(1)=4$**이므로 <조건>의 ①에 의하여** $f(4)=4$**이다. 만약** $f(x)=x$**를 만족하는** $x\in\{1,\ 2,\ 3\}$**가 존재하면** $f\circ f\circ f\circ f$**의 치역에는** x**와 4가 모두 포함되어 상수함수가 아니다.**

$x=1,\ 2,\ 3$**일 때** $f(x)\neq x$**이며, <조건>의 ②에 의하여** $x=1,\ 2,\ 3$**일 때** $x<f(x)$**이다. 즉,** $f(3)=4$**가 된다. 따라서,** $f(1)$**과** $f(2)$**로 가능한 값은 다음과 같다.**

- $f(1)=2$**이면** $f(2)$**는 3또는 4이다.**
- $f(1)=3$**이면** $f(2)$**는 3또는 4이다.**
- $f(1)=4$**이면** $f(2)=4$**이다.**

이를 종합하면, 주어진 조건을 만족하는 함수는 아래와 같이 모두 다섯 경우가 있다.

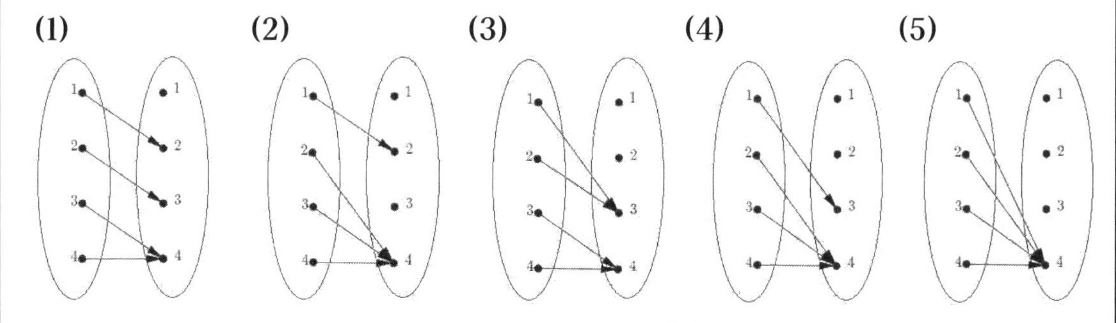

(1)은 3-상수함수이고 (2)~(4)는 2-상수함수이며 (5)는 1-상수함수이다. 따라서 이들은 모두 4-상수함수이다.

[문제 2-3]

어떤 함수가 일대일대응이면 그 함수를 여러 번 합성한 함수도 일대일대응이므로 상수함수가 될 수 없다. 따라서 일대일대응이 아닌 함수만 살펴보아도 충분하다. 일대일대응인 경우는 치역의 원소의 개수가 3이므로 치역의 원소의 개수가 1과 2인 경우를 확인해보자.

(ⅰ) 치역의 원소의 개수가 1인 경우는 1-상수함수이므로 이러한 함수 g에 대하여 주어진 명제는 참이며, 이러한 함수의 개수는 3이다.
(ⅱ) 치역의 원소의 개수가 2인 경우 치역을 $\{a, b\}$라 하고 치역에 속하지 않는 X의 원소를 c라 하자.

- **함수 g에 대하여 $g(a) \neq g(b)$라 하자. $g(a)=a$, $g(b)=b$ 또는 $g(a)=b$, $g(b)=a$이면 함수 g는 여러 번 합성해도 함숫값으로 a와 b를 가지므로 이러한 함수 g에 대하여 주어진 명제는 참이 아니다.**
- **함수 g에 대하여 $g(a)=g(b)$라 하자. 치역이 $\{a, b\}$이므로, $g(a)=g(b)=a$, $g(c)=b$ 이거나 $g(a)=b$, $g(b)=b$, $g(c)=a$이다. 두 함수 모두 2-상수함수로 이 함수들에 대하여 주어진 명제는 참이다.**

치역의 원소의 개수가 2인 경우는 3가지이므로 이러한 함수의 개수는 6이다.
따라서, 총 $3+6=9$개의 함수가 주어진 명제를 참이 되도록 한다.

2. 2024학년도 아주대 수시 논술 (오후)

[문제 1－1] (27점) 제시문 (가)를 읽고 물음에 답하시오.
(1) (6점) $S(t)$를 t에 대한 다항식으로 나타내시오.
(2) (8점) $t=1$일 때, θ에 대한 $S(t)$의 순간변화율을 구하시오.
(3) (13점) $\overline{\mathrm{PQ}}$의 최솟값을 구하시오.

[문제 1－2] (23점) 제시문 (가)와 (나)를 읽고 물음에 답하시오.
(1) (10점) 함수 $x(t)$와 $y(t)$를 구하시오.
(2) (13점) 시각 t에서 점 R의 위치를 $(x(t), y(t))$라 하자. 시각 $t=1$에서 $t=s$까지 점 R이 움직인 거리를 $l(s)$라 할 때, $\lim_{s \to 2} \frac{l(s)-l(2)}{s^2-4}$의 값을 구하시오. (단, $s>1$)

[문제 2－1] (15점) 제시문 (가)를 읽고 물음에 답하시오.
(1) (5점) $n=7$일 때, 카드배열의 개수를 구하시오.
(2) (5점) $n=9$일 때, 다음을 만족시키는 카드배열의 개수를 구하시오.

(가위카드의 자리 번호) < (바위카드의 자리 번호) < (보카드의 자리 번호)

(3) (5점) $n=11$일 때, 가위카드와 보카드가 이웃하는 카드배열의 개수를 구하시오.

[문제 2－2] (35점) 제시문 (가)와 (나)를 읽고 물음에 답하시오.
(1) (10점) 함수 $f:\{1, 2, 3\} \to \{1, 2, 3\}$에 대하여 $f(1)=2$, $f(2)=3$, $f(3)=3$일 때, f-카드배열을 모두 구하시오.
(2) (12점) $g(1)=2$이고 g-카드배열이 존재하도록 하는 함수 $g:\{1, 2, 3\} \to \{1, 2, 3\}$을 모두 구하시오.
(3) (13점) 명제 '모든 카드배열이 h-카드배열이다.'가 참이 되도록 하는 함수 $h:\{1, 2, 3\} \to \{1, 2, 3\}$을 모두 구하시오. (단, $n=3$)

[문제 1-1]

(1) 직선 L_{P}**의 방정식은** $y=-\frac{x}{2t}+t^2-\frac{1}{2}$**이므로 구하는 영역의 넓이는**

$$S(t)=\int_0^t\left(-\frac{x}{2t}+t^2-\frac{1}{2}-x^2+1\right)dx=\frac{2}{3}t^3+\frac{t}{4}$$

이다.

(2) $t=\frac{1}{2\tan\theta}=\frac{\cot\theta}{2}$**이므로 합성함수의 미분법에 의하여**

$$S'(t)\times\frac{dt}{d\theta}=\left(2t^2+\frac{1}{4}\right)\times\left(-\frac{\csc^2\theta}{2}\right)$$

이다. $t=1$**일 때** $\tan\theta=\frac{1}{2}$**이고** $\csc\theta=\sqrt{5}$**이므로, 구하는 값은** $-\frac{45}{8}$**이다.**

(별해) $t=\frac{1}{2\tan\theta}$**이므로** θ**에 대한 함수로 나타낸** $S(t)$**를** $f(\theta)$**라 하면,**

$$S(t)=f(\theta)=\frac{2}{3}\left(\frac{1}{2\tan\theta}\right)^3+\frac{1}{8\tan\theta}=\frac{1}{12}\cot^3\theta+\frac{1}{8}\cot\theta$$

이므로 $f'(\theta)=-\frac{1}{8}\csc^2\theta(2\cot^2\theta+1)$**이다.**

$t=1$**일 때** $\tan\theta=\frac{1}{2}$**이고** $\cot\theta=2$, $\csc\theta=\sqrt{5}$**이므로, 구하는 값은** $-\frac{45}{8}$**이다.**

(3) 직선 L_{P}**와 곡선** C**의 교점의** x**좌표를 구하면** $-t-\frac{1}{2t}$, t**이다. 따라서 점 Q의** x**좌표는** $-t-\frac{1}{2t}$**이다. 점 P의** x**좌표와 점 Q의** x**좌표의 차를** c**라 하면**

$$c=2t+\frac{1}{2t}=\frac{1}{\tan\theta}+\tan\theta$$

이다. $\cos\theta=\frac{c}{\overline{\mathrm{PQ}}}$**이므로**

$$\overline{\mathrm{PQ}}=\frac{c}{\cos\theta}=\left(\frac{1}{\tan\theta}+\tan\theta\right)\frac{1}{\cos\theta}=\frac{1}{\sin\theta\cos^2\theta}$$

이다.

$a=\sin\theta$**라 하면** θ**는 예각이므로** $0<a<1$**이다. 따라서**

$$\overline{\mathrm{PQ}}=\frac{1}{a(1-a^2)}$$

이고 $0<a<1$**에서** $a(1-a^2)$**의 최댓값을 가질 때** $\overline{\mathrm{PQ}}$**는 최솟값을 가진다.** $a=\frac{1}{\sqrt{3}}$**에서** $a(1-a^2)$**는 최댓값** $\frac{2}{3\sqrt{3}}$**를 갖는다. 그러므로** $\overline{\mathrm{PQ}}$**의 최솟값은** $\frac{3\sqrt{3}}{2}$**이다.**

[문제 1−2]

(1) 점 R을 $(t+a,\ t^2-1+b)$라 두자. 두 점 P, R은 직선 L_P 위에 있으므로 L_P의 기울기는 $\frac{b}{a}=-\frac{1}{2t}$이다. 또한 점 P와 점 R의 거리가 1이므로

$$1=a^2+b^2=a^2\left(1+\frac{1}{4t^2}\right)$$

이다. 이때 t는 양수이고 점 R의 x좌표는 t보다 작아야 하므로

$$a=-\frac{2t}{\sqrt{4t^2+1}},\ b=\frac{1}{\sqrt{4t^2+1}}$$

이다. 따라서 점 R의 x좌표와 y좌표를 매개변수 t로 나타낸 함수는

$$x(t)=t-\frac{2t}{\sqrt{4t^2+1}},\ y(t)=t^2-1+\frac{1}{\sqrt{4t^2+1}}$$

이다.

(2) $x'(t)=1-\frac{2}{\left(\sqrt{4t^2+1}\right)^3}$이고 $y'(t)=2t-\frac{4t}{\left(\sqrt{4t^2+1}\right)^3}=2t\left(1-\frac{2}{\left(\sqrt{4t^2+1}\right)^3}\right)$이므로

$$l(s)=\int_1^s\sqrt{(x'(t))^2+(y'(t))^2}\,dt=\int_1^s\left(\sqrt{1+4t^2}-\frac{2}{4t^2+1}\right)dt$$

이다. 정적분과 미분의 관계에 의하여

$$l'(s)=\frac{d}{ds}l(s)=\frac{d}{ds}\int_1^s\left(\sqrt{1+4t^2}-\frac{2}{4t^2+1}\right)dt=\sqrt{1+4s^2}-\frac{2}{4s^2+1}$$

이다. 따라서

$$\lim_{s\to2}\frac{l(s)-l(2)}{s^2-4}=\lim_{s\to2}\left(\frac{1}{s+2}\right)\left(\frac{l(s)-l(2)}{s-2}\right)=\frac{1}{4}l'(2)=\frac{\sqrt{17}}{4}-\frac{1}{34}$$

이다.

[문제 2−1]

(1) 일곱개의 자리에서 세 자리를 고른 후에 카드 세 장을 차례로 나열하는 경우의 수이므로 ${}_7\mathrm{P}_3=210$이다.

(2) 아홉 개의 자리에서 세 자리를 고르는 경우의 수와 같으므로 ${}_9\mathrm{C}_3=84$이다.

(3) 두 카드가 이웃하기 위해서는 두 카드의 자리 번호는 1과 2, 2와 3, ⋯, 10과 11이렇게 열 가지 중 하나이어야 한다. 가위/보 또는 보/가위를 배치한 후에 '바위'를 남은 아홉 자리 중 한 자리에 배치하면 된다. 따라서 답은 $10\times2\times9=180$이다.

[문제 2−2]

(1) 1번 자리에 임의의 카드 한 장을 놓으면 그 카드를 이기는 카드는 반드시 2번 자리에 놓아야 하고, $f(2)=3$이므로 2번 자리의 카드를 이기는 카드는 남은 3번 자리에 놓으면 $f(3)=3$이므로 f-카드배열이다. 따라서 (가위/바위/보), (바위/보/가위), (보/가위/바위) 이렇게 3개의 f-카드배열이 있다.

(3) $g(2)\neq 3$일 때 g-카드배열 (A/B/C)가 존재한다고 하자. $g(2)\neq 3$이므로 B를 이기는 카드는 A이다. $g(1)=2$이므로 A를 이기는 카드는 B가 되어 모순이다. 따라서 $g(2)\neq 3$일 때 g-카드배열은 존재하지 않는다. $g(2)=3$이면 $g(3)$의 값에 관계없이 (가위/바위/보)는 g-카드배열이다. 따라서 답은

- $g(1)=2,\ g(2)=3,\ g(3)=1$
- $g(1)=2,\ g(2)=3,\ g(3)=2$
- $g(1)=2,\ g(2)=3,\ g(3)=3$

이다.

(3) $h(1)\neq 3$이면 (가위/보/바위)가 h-카드배열이 아니다. 그러므로 $h(1)=3$이다. $h(2)\neq 3$이면 (보/가위/바위)가 h-카드배열이 아니다. 그러므로 $h(2)=3$이다. $h(3)=1$이면 (보/바위/가위)가 h-카드배열이 아니다. 따라서 $h(1)=3,\ h(2)=3$이고 $h(3)=2$또는 $h(3)=3$이다.

(i) $h(1)=3,\ h(2)=3,\ h(3)=2$이면 임의의 카드배열을 생각하자. $h(1)=3,\ h(2)=3$이므로 규칙 ①, ②를 따른다. 3번 자리의 이기는 카드는 이미 1번 또는 2번 자리에 있고 $h(3)=2$이므로 규칙 ③도 따른다. 따라서 모든 카드배열이 h-카드배열이다.

(ii) $h(1)=3,\ h(2)=3,\ h(3)=3$은 어떤 제약 조건도 없으므로 모든 카드배열이 h-카드배열이다.

따라서 답은 $h(1)=3,\ h(2)=3,\ h(3)=3$과 $h(1)=3,\ h(2)=3,\ h(3)=2$이다.

3. 2024학년도 아주대 모의 논술

[문제 1-1] (30점) 제시문 (가)를 읽고 물음에 답하시오.

(1) 집합 $A=\{x|x\in U$ 그리고 $x\leq 2024\}$일 때, $S(2,\ 3)$에 대한 결과를 이용하여 $n(A\cap S(10,\ 15))$를 구하시오.

(2) 명제 'a이상의 모든 자연수 x에 대하여 $x\in S(3,\ 4)$이다.' 가 참이 되도록 하는 자연수 a의 최솟값을 구하시오.

(3) 명제 '어떤 양의 7의 배수는 $S(2,\ b)$의 원소가 아니다.'가 거짓이 되도록 하는 2보다 큰 자연수 b를 모두 구하시오.

[문제 1-2] (20점) 제시문 (나)를 읽고 물음에 답하시오.

(1) 함수 $f:X_n\rightarrow X_n$가 <조건>을 만족하면 f의 치역은 $\{x\in X_n|f(x)=x\}$임을 증명하시오.

(2) <조건>을 만족하는 함수 $f:X_3\rightarrow X_3$의 개수를 구하시오.

[문제 2-1] (40점) 제시문 (가)를 읽고 다음에 답하시오.

(1) x_{50}을 구하시오.

(2) 수열 $\{y_n\}$에 대하여 $\dfrac{y_{2n}}{y_{2n-1}}(1 \le n \le 25)$과 $\dfrac{y_{2n+1}}{y_{2n}}(1 \le n \le 24)$의 값을 각각 구하시오.

(3) y_{50}을 구하시오.

(4) 아주가 100점을 가지고 장투와 새넌이 참가한 50번의 <동전 던지기 게임>에 참가하였고 매 게임마다 ①의 과정에서 자신이 가진 점수에 $a(0 \le a \le 1)$를 곱한 값을 제시한다고 할 때, 50회의 게임 후 아주의 점수가 최대가 되는 a를 구하시오.

[문제 2-2] (10점) 제시문 (가)와 (나)를 읽고 아래의 상용로그표를 이용하여 50번의 <동전 던지기 게임>에 대한 섀넌의 실제 게임당 평균 수익률을 구하시오. (단, $\log 2 = 0.3010$, $\log 3 = 0.4771$로 계산하며 게임당 평균 수익률의 소수점 이하 3번째 자리에서 버린다.)

	0	1	2	3	4	5	6	7	8	9
1.0	0.0000	0.0043	0.0086	0.0128	0.0170	0.0212	0.0253	0.0294	0.0334	0.0374

[문제 1-1]

(1) (10점)

$10 = 5 \times 2$, $15 = 5 \times 3$**이므로**

•$x = 2m + 3n$ **(m, n은 음이 아닌 정수)가** $S(2,\ 3)$**의 원소라면** $5x = 10m + 15n$**는** $S(10,\ 15)$**의 원소이다.**

• $y = 10m + 15n$ **(m, n은 음이 아닌 정수)가** $S(10,\ 15)$**의 원소라면** $y = 5(2m + 3n) = 5x$ **이므로** $x = 2m + 3n$**는** $S(2,\ 3)$**의 원소이다.**

위의 관찰에 의해 $S(10,\ 15) = \{5x | x\text{는 } S(2,3)\text{의 원소}\} = \{0,\ 10,\ 15,\ 20,\ 25,\ 30,\ 35,\ \cdots\}$ **이므로** $S(10,\ 15) \cap A = \{5k | k = 0,\ 1,\ \cdots,\ 404\} - \{5\}$**이다. 따라서** $n(A \cap S(10,\ 15)) = 404$ **이다.**

(2) (10점)

3**보다 작은 두 자연수** 1**과** 2**는** $S(3,\ 4)$**의 원소가 아니고,** 3**과** 4**는 당연히** $S(3,\ 4)$**의 원소이다.** 5**는** 3**의 배수도 아니고** 4**의 배수도 아니므로, 만약** 5**가** $S(3,\ 4)$**의 원소라면, 어떤 자연수** m, n**에 대하여** $5 = 3m + 4n$**을 만족한다. 하지만** $3m + 4n$**은** 7**이상의 자연수이므로 모순이 생긴다. 따라서** 5**는** $S(3,\ 4)$**의 원소가 아니고** $a \le 5$**이면 주어진 명제는 거짓이다.**

이제 6**이상의 자연수 중** $S(3,\ 4)$**에 포함되는 원소를 모두 찾아보자.** $6 = 3 \times 2 + 4 \times 0$, $7 = 3 \times 1 + 4 \times 1$, $8 = 3 \times 0 + 4 \times 2$**이므로** 6, 7, 8**은 세 개의 연속된** $S(3,\ 4)$**의 원소이고** $9 = 6 + 3$, $10 = 7 + 3$, $11 = 8 + 3$**도 모두** $S(3,\ 4)$**의 원소이다. 이 과정을 계속하면** 6**이상의 모든 자연수가** $S(3,\ 4)$**의 원소임을 알 수 있다.**

따라서 $S(3,\ 4) = \{0,\ 3,\ 4,\ 6,\ 7,\ 8,\ \cdots\} = U - \{1,\ 2,\ 5\}$**이고** $\underline{a = 6}$**이 주어진 명제가 참이 되는 자연수** a**의 최솟값이다.**

(3) (10점)

주어진 명제의 부정은 '모든 양의 7의 배수는 $S(2,\ b)$의 원소이다'이므로 모든 양의 7의 배수가 집합 $S(2,\ b)$에 포함되는 2보다 큰 자연수 b를 찾으면 된다. b가 짝수이면 $S(2,\ b)$의 모든 원소는 짝수이므로 b는 홀수이다.

- **제시문 (가)에 의하여 모든 양의 7의 배수가 $S(2,\ 3)$에 포함된다.**
- **$2+5=7$이고 자연수 x에 대하여 $7x=2x+5x$이므로 모든 양의 7의 배수가 $S(2,\ 5)$에 포함된다.**
- **모든 양의 7의 배수가 $S(2,\ 7)$에 포함된다.**
- **$b \geq 9$이면 $7 \notin S(2,\ b)$**

따라서 답은 $\underline{b=3,\ 5,\ 7}$이다.

[문제 1-2]

(1) (10점)

f의 치역에 속하는 한 원소를 b라 하면, 정의역의 어떤 원소 a에 대하여 $f(a)=b$이다. f는 <조건>을 만족하므로 $(f \circ f)(a)=f(a)$이고 $f(b)=b$가 된다. 따라서 f의 치역은 $\{x \in X_n | f(x)=x\}$의 부분집합이다. 한편, 집합 $\{x \in X_n | f(x)=x\}$가 f의 치역의 부분집합이 되는 것은 명백하므로 f의 치역은 $\{x \in X_n | f(x)=x\}$이다.

(2) (10점)

함수 $f: X_3 \rightarrow X_3$가 <조건>을 만족한다고 하자. (1)에 의하여 f의 치역은 $\{x \in X_n | f(x)=x\}$임을 알고 있으므로, 치역으로 가능한 X_3의 공집합이 아닌 부분집합을 모두 생각한다.

- **치역이 $\{1,\ 2,\ 3\}$이면 $f(1)=1,\ f(2)=2,\ f(3)=3$이어야 하고 이 함수는 <조건>을 만족하므로 1개의 함수가 존재한다.**
- **치역이 $\{1,\ 2\}$이면 $f(1)=1,\ f(2)=2$이어야 하고 $f(3)$의 값은 1 또는 2일 때 모두 <조건>을 만족하므로 이 경우 2개의 함수가 <조건>을 만족한다. 치역이 $\{2,\ 3\},\ \{1,\ 3\}$일 때도 같은 이유로 각각 2개의 함수가 <조건>을 만족한다.**
- **치역의 원소의 개수가 하나이면 f는 상수함수이어야 하고 f는 <조건>을 만족한다. 따라서 치역의 원소의 개수가 하나이며 <조건>을 만족하는 함수는 3개이다.**

따라서 모두 $1+(3\times 2)+(3\times 1)=10$개의 함수가 <조건>을 만족한다.

[문제 2-1]

(1) (10점)

홀수 번째 게임에서는 앞면이 나오므로, 이전 게임의 점수의 2배가 된다. 따라서 $x_{2n-1}=2x_{2n-2}$이다. 짝수 번째 게임에서는 뒷면이 나오므로 이전 게임의 점수의 반이 되며 $x_{2n}=\frac{1}{2}x_{2n-1}$이 된다. 장투가 처음 가진 점수를 X라 하면,

$$x_1 = 2X,\ x_2 = \frac{1}{2}x_1 = X,\ x_3 = 2x_2 = 2X,\ x_4 = \frac{1}{2}x_3 = X,\ \cdots,\ x_{50} = X$$

$X = 100$**이므로** $x_{50} = 100$**이다.**

(2) (10점)

새년은 $2n$**번째 게임에서 가진 점수의 반인** $\frac{1}{2}y_{2n-1}$**을 제시하고 제시한 금액의 반을 잃으므로**

$$y_{2n} = \frac{1}{2}y_{2n-1} + \frac{1}{2}\left(\frac{1}{2}y_{2n-1}\right) = \frac{3}{4}y_{2n-1}$$

이다. 따라서

$$\frac{y_{2n}}{y_{2n-1}} = \frac{3}{4}$$

이다. $2n+1$**번째 게임에서는 가진 점수의 반인** $\frac{1}{2}y_{2n}$**을 제시하고 제시한 금액만큼 얻으므로**

$$y_{2n+1} = \frac{1}{2}y_{2n} + 2\left(\frac{1}{2}y_{2n}\right) = \frac{3}{2}y_{2n}$$

이다. 따라서

$$\frac{y_{2n+1}}{y_{2n}} = \frac{3}{2}$$

이다.

(3) (10점)

새년이 처음에 가진 점수를 Y**라 하면 (2)에 의해**

$$y_1 = \frac{3}{2}Y,\ y_2 = \frac{3}{4}y_1 = \frac{9}{8}Y,\ y_3 = \frac{3}{2}y_2 = \frac{27}{16}Y,\ y_4 = \frac{3}{4}y_3 = \left(\frac{9}{8}\right)^2 Y,\ \cdots,\ y_{50} = \left(\frac{9}{8}\right)^{25} Y$$

이다. $Y = 100$**이므로** $y_{50} = \left(\frac{9}{8}\right)^{25} 100$**이다.**

(4) (10점)

아주가 처음에 가진 점수를 Z**라 하고,** k**번째 게임 후 아주가 가진 점수를** z_k**라 하자. 각 게임에서 아주가 자신이 가진 점수의** $\alpha(0 \le \alpha \le 1)$**를 곱한 만큼 제시하면 홀수 번째 게임에서는**

$$z_{2n-1} = (1-\alpha)z_{2n-2} + 2(\alpha z_{2n-2}) = (1+\alpha)z_{2n-2}$$

이고, 짝수 번째 게임에서는

$$z_{2n} = (1-\alpha)z_{2n-1} + \frac{1}{2}(\alpha z_{2n-1}) = \left(1 - \frac{1}{2}\alpha\right)z_{2n-1}$$

이다. [문제 2-1]의 (3)과 같은 방법으로 계산하면

$$z_{50}=(1+\alpha)^{25}\left(1-\frac{1}{2}\alpha\right)^{25}Z=\left\{(1+\alpha)\left(1-\frac{1}{2}\alpha\right)\right\}^{25}Z$$

이다. $f(\alpha)=(1+\alpha)\left(1-\frac{1}{2}\alpha\right)$**라 하면, 함수** f**는** $\alpha=\frac{1}{2}$**에서 극댓값** $f\left(\frac{1}{2}\right)=\frac{9}{8}$**을 가지며** $f(0)=1$, $f(1)=1$**이다. 따라서** 50**회의 게임 후 점수가 최대가 되는** α**는** $\frac{1}{2}$**이다.**

[문제 2-2] (10점)
제시문 (나)와 [문제 2－1]**의 (3)에 의해**

$$(1+r)^{50}=\frac{y_{50}}{Y}=\left(\frac{9}{8}\right)^{25}$$

이다. 양변에 상용로그를 취하고 계산하면

$$\log(1+r)=\frac{1}{2}(2\log3-3\log2)=\frac{1}{2}(0.9542-0.9030)=0.0256$$

이다. 상용로그표에 의해 $\log1.06<0.0256<\log1.07$**이므로** $0.06<r<0.07$**이다. 따라서 실제 게임당 평균 수익률** r**은 약** 0.06**이다.**

4. 2023학년도 아주대 수시 논술 (오전)

[문제 1-1] 제시문 (가)를 읽고 물음에 답하라.

(1) 아래의 3-등차등비표에서 두 번째 가로수열과 두 번째 세로수열은 등차수열이며, 그 외 가로수열과 세 로수열은 모두 등비수열일 때, $a+b+c+d+e$의 값을 구하라.

10	a	b
c	10	d
40	e	10

(2) 다음 <조건>을 만족하는 3-등차등비표의 개수를 구하라.

〈조건 〉
① 각 칸에 적힌 수는 9이하의 자연수이다. ② 첫 번째 가로수열은 첫째항만 홀수이고 나머지 항은 짝수이다. ③ 첫 번째 세로수열은 둘째항만 짝수이고 나머지 항은 홀수이다.

홀	짝	짝
짝		
홀		

(3) 자연수 $n(n\geq3)$에 대하여, n-등차등비표에 적힌 모든 수의 합이 20이고 각 가로수열이 등차수열이라 하자. 이 n-등차등비표의 첫 번째 세로수열의 합을 α라 하고 n번째 세로수열의 합을 β라 하자. α와 β가 이차방정식 $x^2-5x+p=0$의 서로 다른 두 실근일 때, n의 값을 구하고 실수 p의 범위를 구하라.

[문제 1-2] 제시문 (가)와 (나)를 읽고 물음에 답하라.

(1) 10-등차등비표를 $f(x)=\log_2 x$에 의해 변환한 표의 첫 번째 가로수열은 등차수열이며, 이 가로수열의 첫째항이 4이고 제 10항이 40이라 하자. 변환하기 이전의 표에서 첫 번째 가로수열의 합을 구하라.

(2) 두 함수 $f(x)=\sin\frac{\pi}{2}x$와 $g(x)=x^3+ax^2+b$에 대하여 아래 3-등차등비표를 합성함수 $(g\circ f)(x)$에 의해 변환한 표가 3-등차등비표일 때, $y=f(x)$와 $y=g(x)$의 그래프의 교점의 개수를 구하라. (단, $\sqrt{3}>1.7$)

1	2	3
4	5	6
7	8	9

[문제 2-1] 제시문 (가)를 읽고 물음에 답하라.

(1) $n=1$일 때, $5(r_1+r_2)>4$임을 증명하라. (단, $\sqrt{2}>1.4$)

(2) n이하인 자연수 k에 대하여 $p_k=\tan\frac{k\pi}{2(n+1)}$일 때, $\lim_{n\to\infty}\frac{1}{n}\sum_{k=1}^{n+1}(k-1)r_k$를 구하라.

(3) n이하인 자연수 k에 대하여 $p_k=k$이고 $\sum_{k=1}^{n+1}\frac{1}{\tan\theta_k}=82$일 때, n의 값을 구하라.

[문제 2-2] 제시문 (나)를 읽고 물음에 답하라.

(1) 모든 실수 x에 대하여 $f(2+x)=f(2-x)$를 만족하는 함수 $f(x)$를 생각하자. 방정식 $f(x)=0$의 서로 다른 실근을 모두 더하면 34일 때, 방정식 $f(x)=0$의 서로 다른 실근의 개수를 구하라.

(2) 함수 $f(x)=\frac{|\cos x|}{3+\cos^2 x}$에 대하여 $\int_0^{\pi} xf(x)dx$의 값을 구하라.

[문제 1-1]

(1) 두 번째 가로수열과 두 번째 세로수열이 등차수열이므로 $a+e=c+d=20$이다. 이로부터 $a+c+d+e=40$을 얻는다. 한편 첫 번째 세로수열은 등비수열이므로 $c^2=400$이고 $c=\pm 20$이다. 만약 $c=20$이면, $d=0$이 되어 세 번째 가로수열 b, d, 10이 등비수열을 이룬다는 조건에 모순이다. 따라서 $c=-20$일 수밖에 없고 $d=40$이 된다. 세 번째 가로수열이 등비수열이라는 조건을 사용하여 $b=160$을 얻는다. 처음 얻은 식과 종합하면 $a+b+c+d+e=200$이다. (3−등차등비표를 완성하면 아래와 같다.)

10	40	160
−20	10	40
40	−20	10

(2) ②에 의하여, 첫 번째 가로수열은 등차수열이 될 수 없으므로 공비가 1이 아닌 등비수열이 된다. 이 가로수열의 첫째항을 a, 공비를 r이라 하자. 조건에 따라 a는 홀수이고 ar과 ar^2은 짝수이다. ①로부터 $ar^2 \le 9$이므로, $a=1,\ r=2$이거나 $a=9,\ r=\frac{3}{2}$이어야 한다. 한편, ③에 의하여 첫 번째 세로수열은 등비수열이 될 수 없으므로 공차가 0이 아닌 등차수열이 된다. 이 세로수열의 공차를 d라 하자. d는 홀수이며 $a+2d \le 9$이므로, $a=1$일 때 $d=1$ 또는 3이고 $a=9$일 때 $d=-1$ 또는 -3이다. 이에 따라 총 4가지 경우를 모두 고려하면 아래의 그림과 같다. 나머지 칸을 그림과 같이 $x,\ w,\ y,\ z$라 두자.

1	2	4
2	x	w
3	y	z

$a=1,\quad d=1$

1	2	4
4	x	w
7	y	z

$a=1,\quad d=3$

9	6	4
8	x	w
7	y	z

$a=9,\quad d=-1$

9	6	4
6	x	w
3	y	z

$a=9,\quad d=-3$

만약 z가 짝수이면, 세 번째 가로수열인 $3,\ y,\ z$ 또는 $7,\ y,\ z$가 홀수로 시작하여 짝수로 끝나므로 등차수열일 수 없다. 또한 z가 9이하의 짝수라는 조건 때문에 등비수열도 될 수 없어 모순이다. 따라서 z가 홀수여야 하고, 세 번째 세로수열인 $4,\ w,\ z$는 등차수열이 될 수 없다. 따라서 세 번째 세로수열은 등비수열이 되어 $4,\ 2,\ 1$이거나 $4,\ 6,\ 9$이어야만 한다. 각 경우마다 x와 y를 결정하는 방법이 유일하므로 총 8개이다. (8개의 등차등비표를 완성하면 아래와 같다.)

1	2	4
2	2	2
3	2	1

1	2	4
4	3	2
7	4	1

9	6	4
8	5	2
7	4	1

9	6	4
6	4	2
3	2	1

1	2	4
2	4	6
3	6	9

1	2	4
4	5	6
7	8	9

9	6	4
8	7	6
7	8	9

9	6	4
6	6	6
3	6	9

(3) k번째 가로수열의 첫째항을 a_k, 제 n항을 b_k라 하자. 모든 칸에 적힌 수의 총합이 20이라는 조건으로부터 $\sum_{k=1}^{n}\frac{n(a_k+b_k)}{2}=20$을 얻는다. 또한 $\alpha=\sum_{k=1}^{n}a_k$이고 $\beta=\sum_{k=1}^{n}b_k$이기 때문에, $n(\alpha+\beta)=40$이 된다. 한편 α와 β가 이차방정식 $x^2-5x+p=0$의 서로 다른 두 실근이므로, 이차방정식의 근과 계수와의 관계에 의하여 $\alpha+\beta=5$이고 $\alpha\beta=p$이다. 따라서 $n=8$이다. 또한 $x^2-5x+p=0$가 서로 다른 두 실근을 가져야 하므로 판별식에 의해

$25-4p>0$, 즉 $p<\frac{25}{4}$를 얻는다.

[문제 1-2]

(1) 첫째항이 4이고 제 10항이 40인 등차수열의 공차는 4이다. 이 등차수열은 함수 $f(x)=\log_2 x$에 의하여 변환된 수열이므로, 변환하기 이전의 표에서는 첫째항이 2^4, 공비가 2^4인 등비수열이 된다. 이 등비수열의 합은 $2^4\times\frac{2^{40}-1}{2^4-1}=\frac{16}{15}(2^{40}-1)$이다.

(2) 함숫값 $f(1)$, $f(2)$, ..., $f(9)$는 각각 1, 0, -1, 0, 1, 0, -1, 0, 1이므로 합성함수 $(g\circ f)(x)$에 의해 변환된 표는 아래와 같다.

$a+b+1$	b	$a+b-1$
b	$a+b+1$	b
$a+b-1$	b	$a+b+1$

두 번째 가로수열이 등차수열이거나 등비수열이므로 $a=-1$ 또는 $(a+b+1)^2=b^2$이 성립한다. $a=-1$인 경우는 첫 번째 가로수열이 b, b, $b-2$가 되어 모순이다. 따라서 $a+b+1=-b$이고 $a=-2b-1$이다. 이를 대입하면 첫 번째 가로수열이 $-b$, b, $-b-2$이다. 항상 $-b\neq-b-2$이므로 등비수열이 될 수 없다. 첫 번째 가로수열이 등차수열인 조건을 사용하면 $b=-\frac{1}{2}$이고 $a=0$이므로 $g(x)=x^3-\frac{1}{2}$이다.

$\frac{1}{2}$	$-\frac{1}{2}$	$-\frac{3}{2}$
$-\frac{1}{2}$	$\frac{1}{2}$	$-\frac{1}{2}$
$-\frac{3}{2}$	$-\frac{1}{2}$	$\frac{1}{2}$

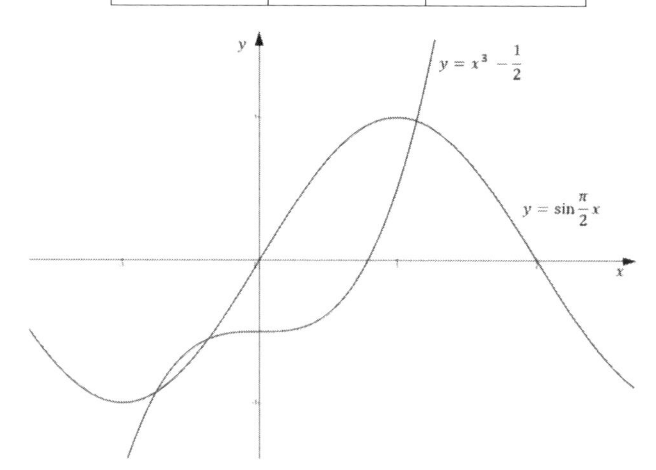

이제 구간을 나누어서 $y=\sin\frac{\pi}{2}x$와 $y=x^3-\frac{1}{2}$의 그래프의 교점의 개수를 구하자.

$x>0$일 때, $g(0)<f(0)$이고 $f(2)<g(2)$이므로 그래프개형에 의하면 한 개의 교점을 가진다.

$x \le 0$**일 때, 그래프 개형을 생각하면 교점은 많아야 두 개를 가짐을 알 수 있다. 두 함수의 그래프의 교점의 개수는** $h(x)=g(x)-f(x)=x^3-\frac{1}{2}-\sin\frac{\pi}{2}x=0$**의 실근의 개수와 같다.**

한편 $h(0)=h(-1)=-\frac{1}{2}<0$**이고** $\sqrt{3}>1.7$**이므로**

$$h\left(-\frac{2}{3}\right)=g\left(-\frac{2}{3}\right)-f\left(-\frac{2}{3}\right)=-\frac{8}{27}-\frac{1}{2}-\sin\left(-\frac{\pi}{3}\right)=-\frac{43}{54}+\frac{\sqrt{3}}{2}>0$$

이므로, 사잇값 정리로부터 방정식 $h(x)=0$**는 열린구간** $\left(-1,\ -\frac{2}{3}\right)$**와 열린구간** $\left(-\frac{2}{3},\ 0\right)$**에 실근을 가지게 된다. 즉, 이 경우** $y=f(x)$**와** $y=g(x)$**의 그래프의 교점의 개수는** 2**이다.**

따라서 전체 그래프의 교점의 개수는 3**이다.**

[문제 2-1]

(1) r_1+1**이 양수이므로**

$$r_1+r_2=r_1+\frac{1-r_1}{1+r_1}=(1+r_1)+\frac{2}{1+r_1}-2\ge 2\sqrt{2}-2>0.8$$

이다. 즉, $5(r_1+r_2)>4$**가 성립한다.**

(2) 직선의 기울기와 탄젠트함수의 정의로부터 $\theta_1=\cdots=\theta_n=\frac{\pi}{2(n+1)}$**이다. 또한** $\sum_{i=1}^{n+1}\theta_i=\frac{\pi}{2}$**이므로** $\theta_{n+1}=\frac{\pi}{2(n+1)}$**이다.** $n+1$**이하인 자연수** k**에 대하여 원점과 원** C_k**가 접하는 접점 사이의 거리가** 1**이므로**

$$r_k=\tan\frac{\theta_k}{2}=\tan\frac{\pi}{4(n+1)}$$

이고,

$$\sum_{k=1}^{n+1}(k-1)r_k=\tan\frac{\pi}{4(n+1)}\sum_{k=1}^{n+1}(k-1)=\frac{n(n+1)}{2}\cdot\tan\frac{\pi}{4(n+1)}$$

이다. 이제 $\lim_{x\to 0}\frac{\tan x}{x}=1$**을 사용하여 다음을 얻는다.**

$$\lim_{n\to\infty}\frac{1}{n}\sum_{k=1}^{n+1}(k-1)r_k=\lim_{n\to\infty}\frac{n(n+1)}{2n}\tan\frac{\pi}{4(n+1)}=\lim_{n\to\infty}\frac{\pi}{8}\cdot\frac{\tan\frac{\pi}{4(n+1)}}{\frac{\pi}{4(n+1)}}=\frac{\pi}{8}$$

(3) $k=1$**인 경우는** $\tan\theta_1=p_1=1$**이고,** $k=n+1$**인 경우는** $\tan\theta_{n+1}=\frac{1}{p_n}=\frac{1}{n}$**이다.**

$2 \le k \le n$**인 경우** $,p_k = \tan\left(\sum_{i=1}^{k}\theta_i\right)$**이므로**

$$\tan\theta_k = \tan\left(\sum_{i=1}^{k}\theta_i - \sum_{i=1}^{k-1}\theta_i\right) = \frac{p_k - p_{k-1}}{1+p_k p_{k-1}} = \frac{1}{1+k^2-k}$$

이다.

따라서 다음 식을 얻는다.

$$\sum_{k=1}^{n+1}\frac{1}{\tan\theta_k} = 1+\sum_{k=2}^{n}(k^2-k+1)+n = \sum_{k=1}^{n}(k^2-k+1)+n$$
$$= \frac{n(n+1)(2n+1)}{6} - \frac{n(n+1)}{2} + 2n = \frac{n(n^2+5)}{3} = 82$$

이를 정리하면 $n^3+5n-246=(n-6)(n^2+6n+41)=0$**이므로** $n=6$**이다.**

[문제 2-2]

(1) 방정식 $f(x)=0$**의 서로 다른 실근 중** 2**보다 큰 것의 개수를** m**이라 하자. 그러한** m **개의 실근을** $2+\alpha_1,\ \ldots,\ 2+\alpha_m(\alpha_i>0)$**이라 하면** $2-\alpha_1,\ \ldots,\ 2-\alpha_m$**도 방정식** $f(x)=0$**의 근이 된다. 따라서 방정식** $f(x)=0$**의** 2**가 아닌 서로 다른 실근을 모두 더한 값은** $4m$**이 된다. 서로 다른 실근의 합인** 34**가** 4**의 배수가 아니므로,** 2**가 방정식** $f(x)=0$**의 실근이 되어야 하고** $4m+2=34$**를 얻는다. 즉,** $m=8$**이므로 방정식** $f(x)=0$**의 서로 다른 실근의 개수는** $2\times8+1=17$**이다.**

(2) $\cos(\pi-x)=-\cos x$**이므로** $f(\pi-x)=f(x)$**이고,** $y=f(x)$**의 그래프는 직선** $x=\frac{\pi}{2}$**에 대칭이다. 제시문 (나)에 의해** $\int_0^{\pi}xf(x)dx=\int_0^{\pi}(\pi-x)f(x)dx$**이므로,**

$$2\int_0^{\pi}xf(x)dx = \pi\int_0^{\pi}f(x)dx$$

이다. 그래프의 대칭성으로부터

$$\int_0^{\pi}xf(x)dx = \frac{\pi}{2}\int_0^{\pi}f(x)dx = \pi\int_0^{\frac{\pi}{2}}f(x)dx = \pi\int_0^{\frac{\pi}{2}}\frac{\cos x}{3+\cos^2 x}dx$$

이다. 여기서 $\sin x = t$**로 치환하면 다음과 같이 계산할 수 있다.**

$$\pi\int_0^{\frac{\pi}{2}}\frac{\cos x}{3+\cos^2 x}dx = \pi\int_0^{1}\frac{1}{4-t^2}dt = \frac{\pi}{4}\int_0^{1}\left(\frac{1}{2-t}+\frac{1}{2+t}\right)dt = \frac{\pi}{4}[-\ln(2-t)+\ln(2+t)]_0^1$$
$$= \frac{\pi}{4}\ln 3$$

5. 2023학년도 아주대 수시 논술 (오후)

[문제 1-1] (25점) 제시문 (가)를 읽고 물음에 답하라.

(1) 《0, 0》-좋은함수인 사차함수 $f(x)$의 극댓값이 2^{10}이고 $A=\log 2$, $B=\log 3$일 때, $\log f(6)$의 값을 A와 B로 나타내라.

(2) 좋은함수 $f(x)$가 모든 실수에서 연속인 이계도함수 $f''(x)$를 갖고, $0<p<1$인 실수 p에 대하여 $f(x)$가 $x=p$에서 최댓값 2023을 가진다. 이때 $\int_a^b f''(x)dx=\frac{2023}{p(p-1)}$을 만족하는 두 실수 a, b가 열린 구간 $(0,\ 1)$에 존재함을 증명하라.

[문제 1-2] (25점) 제시문 (가)와 (나)를 읽고 물음에 답하라.

(1) 제시문 (나)의 함수 $s(x)$에 대하여 $\int_0^2 s(x)dx$의 값을 구하라.

(2) 9이하의 자연수 a, b, c, d, e, f에 대하여 $p(x)$는 $\ll a,\ b \gg$−좋은함수, $q(x)$는 $\ll c,\ d \gg$−좋은함수, $r(x)$는 $\ll e,\ f \gg$−좋은함수이다. 두 함수 $G(x)=p(q(x))+p(x)q(x)$와 $H(x)=q(r(x))+2r(x)$에 대하여 함수 $S(x)$를 아래와 같이 정의하자.

$$S(x)=\begin{cases} G(x) & (x\le 1) \\ H(x-1) & (x>1) \end{cases}$$

$S(x)$가 $\ll n, 24 \gg$-좋은함수이고 자연수 n이 24의 약수가 되는 순서쌍 $(a,\ b,\ c,\ d,\ e,\ f)$의 개수를 구하라.

[문제 2-1] (20점) 제시문 (가)를 읽고 물음에 답하라.

(1) 함수 $f(x)=x^3-3ax+a$에 대하여 방정식 $f(x)=0$이 닫힌구간 $[-2,\ 2]$에서 서로 다른 세 실근을 가지도록 하는 실수 a의 값의 범위를 구하라.

(2) 함수 $f(x)=x^3-3ax+2$에 대하여 닫힌구간 $[-2,\ 2]$에서 $|f(x)|$의 최댓값이 가장 작아지도록 하는 실수 a의 값과 그때의 $|f(x)|$의 최댓값을 구하라.

[문제 2-2] (30점) 제시문 (나)를 읽고 물음에 답하라.

(1) 함수 $F(x)=x^4+ax^2+b$에 대하여 방정식 $F(x)=0$은 서로 다른 네 실근을 가지고 모든 실근의 절댓값이 양수 A보다 크다고 하자. 방정식 $F'(x)=0$의 0이 아닌 실근의 절댓값이 A보다 크다는 것을 증명하라. (단, a, b는 상수)

(2) 함수 $F(x)=x^4-x^2+c$에 대하여, 방정식 $F(x)=0$이 서로 다른 네 실근 p, q, r, s $(p<q<r<s)$를 가지고 $\int_p^s F(x)dx=0$을 만족할 때, 상수 c를 구하라.

(3) 함수 $G(x)=x^4-4x^3+9x-\frac{11}{2}$에 대하여, 다음 <조건>을 만족하는 일차함수 $L(x)$를 구하라.

<조건>

① $F(x)=x^4+ax^2+b$(단, a, b는 상수)

② $G(x)=F(x-m)+L(x)$(단, m은 상수)

③ 방정식 $G(x)-L(x)=0$이 서로 다른 네 실근을 가지고, 가장 큰 실근 t에 대하여

$$\int_m^t (G(x)-L(x))dx=0$$

[문제 1-1]

(1) $f(x)=ax^2(x-1)^2$ **(단,** a**는** 0**이 아닌 실수)라 둘 수 있다. 따라서** $x=\frac{1}{2}$**에서** $f(x)$**가 극댓값을 가지고** $f\left(\frac{1}{2}\right)=\frac{a}{2^4}=2^{10}$**이므로** $a=2^{14}$**이다. 따라서** $f(x)=2^{14}x^2(x-1)^2$**이므로 다음이 성립한다.**

$$\log f(6)=\log\left(2^{16}3^2 5^2\right)=2+14A+2B$$

(2) 닫힌구간 $[0,\ p]$**에서 평균값 정리에 의하면,** $f'(a)=\frac{f(p)-f(0)}{p-0}=\frac{2023}{p}$**인** a**가 열린구간** $(0,\ p)$**에 존재 한다. 닫힌구간** $[p,\ 1]$**에서 평균값 정리에 의하면,**

$$f'(b)=\frac{f(1)-f(p)}{1-p}=\frac{2023}{p-1}$$

인 b**가 열린구간** $(p,\ 1)$**에 존재한다.**

이때, $\int_a^b f''(x)dx=f'(b)-f'(a)$**이므로**

$$\int_a^b f''(x)dx=\frac{2023}{p-1}-\frac{2023}{p}=\frac{2023}{p(p-1)}$$

인 두 실수 a**,** b**가 열린구간** $(0,\ 1)$**에 존재한다.**

[문제 1-2]

(1) 치환적분을 이용하면 아래가 성립한다.

$$\int_0^2 s(x)dx=\int_0^1 g(x)dx+\int_1^2 h(x-1)dx=\int_0^1 g(x)dx+\int_0^1 h(t)dt\ \ (t=x-1\text{로치환})$$

$$=\int_0^1 \cos^3\left(\frac{\pi x}{2}\right)\sin\left(\frac{\pi x}{2}\right)dx+\int_0^1\left(xe^{x^2-1}-x\right)dx$$

각 정적분을 계산하면 아래와 같다.

$$\int_0^1 \cos^3\left(\frac{\pi x}{2}\right)\sin\left(\frac{\pi x}{2}\right)dx=\left[-\frac{1}{2\pi}\cos^4\left(\frac{\pi x}{2}\right)\right]_0^1=\frac{1}{2\pi}$$

$$\int_0^1\left(xe^{x^2-1}-x\right)dx=\left[\frac{1}{2}e^{x^2-1}-\frac{x^2}{2}\right]_0^1=-\frac{1}{2e}$$

따라서 구하고자 하는 정적분값은 $\frac{1}{2\pi}-\frac{1}{2e}$**이다.**

(2) 합성함수의 미분법과 곱의 미분법에 의해서

$$G'(x)=p'(q(x))q'(x)+p'(x)q(x)+p(x)q'(x)$$

이고

$$H'(x)=q'(r(x))r'(x)+2r'(x)$$

이다. 따라서

$$G'(0)=p'(0)q'(0)+p'(0)q(0)+p(0)q'(0)=ac,$$

$$G'(1)=p'(0)q'(1)+p'(1)q(1)+p(1)q'(1)=ad,$$

$$H'(0)=q'(0)r'(0)+2r'(0)=ce+2e,$$

$$H'(1)=q'(0)r'(1)+2r'(1)=cf+2f$$

이므로 $G(x)$**는** $\ll ac,\ ad \gg$**−좋은함수이고** $H(x)$**는** $\ll ce+2e,\ cf+2f \gg$**−좋은함수이다. 따라서** $S(x)$**가** $\ll n,\ 24 \gg$**−좋은함수이므로** $ac=n,\ ad=24=(c+2)e$**를 만족해야 한다.** a**는** 24**의 약수이고** $a,\ d$**가 모두** 9**이하의 자연수이므로** a**로 가능한 수는** 3, 4, 6, 8**이며 각** a**마다 대응되는** d**가 유일하게 결정된다. 같은 방식으로** $c+2$**역시** 3, 4, 6, 8**만 가능하고 마찬가지로** $c+2$**에 대응되는** e**가 유일하게 결정된다.** ac**가** 24**의 약수가 되어야 하므로 가능한 순서쌍** $(a,\ c)$**는** (3, 1), (3, 2), (3, 4), (4, 1), (4, 2), (4, 6), (6, 1), (6, 2), (6, 4), (8, 1)**로** 10**가지이다. 한편,** b**와** f**는** 9**이하의 모든 자연수가 가능하므로 구하는 경우의 수는** $10\times 9\times 9=810$**이다.**

[문제 2-1]

(1) 문제의 조건에 의해, 닫힌구간 $[-2,\ 2]$**에서** $y=f(x)$**의 그래프가** x**축과 서로 다른 세 점에서 만나야 하므로 함수** $f(x)$**는 이 구간에서 극댓값과 극솟값을 모두 갖는다.**

따라서, $f'(x)=3(x^2-a)=0$**이** $[-2,\ 2]$**에서 두 실근을 가지므로** $0<a<4$**이고,** $f(-\sqrt{a})f(\sqrt{a})<0$**이어야 한다. 이때,** $f(-\sqrt{a})=a(1+2\sqrt{a})>0$**이므로**

$$f(\sqrt{a})=a(1-2\sqrt{a})<0$$

이다. 따라서 $a>\frac{1}{4}$**이다. 또한** $f(-2)=-8+7a\le 0$**이므로** $a\le\frac{8}{7}$**이다. 따라서 실수** a**의 값의 범위는** $\frac{1}{4}<a\le\frac{8}{7}$**이다.**

(2) $a=1$**일 때** $f(-2)=f(\sqrt{a})=0,\ f(-\sqrt{a})=f(2)=4$**이므로** $|f(x)|$**의 최댓값은** 4**이다.** $a<1$**이면** $f(2)=10-6a>4,\ a\ge 4$**이면** $f(-2)=6a-6>4$**이므로** $|f(x)|$**의 최댓값은** 4 **보다 크다.** $1<a<4$**이면** $f(-\sqrt{a})=2(a\sqrt{a}+1)>4$**이다. 따라서,** $a\ne 1$**일 때** $|f(x)|$**의 최댓값은** 4**보다 크다. 따라서** $a=1$**일 때** $|f(x)|$**의 최댓값이 가장 작고, 그때의** $|f(x)|$**의 최댓값은** 4**이다.**

[문제 2-2]

(1) 문제의 조건으로부터, 이차방정식 $f(t)=t^2+at+b=0$**의 두 실근은 모두 양수이고** A^2**보다 크다. 이 때, 이차방정식의 근과 계수와의 관계로부터** $-a>2A^2$**이다.** $F'(x)=2x(x^2+a)$**이므로 방정식** $F'(x)=0$**의 실근은** $x=0$ **또는** $\pm\sqrt{-\frac{a}{2}}$**이다. 즉,** 0**이 아닌 실근의 절댓값은** $\sqrt{-\frac{a}{2}}$**이고 이 값은** A**보다 크다.**

(2) 이차함수 $f(x)=x^2-x+c$라 두자. 방정식 $f(x)=0$은 서로 다른 두 양의 실근을 가지므로 $s=-p$, $r=-q>0$이다. 따라서, 이차방정식 $f(x)=0$의 서로 다른 두 실근은 r^2, s^2이다. 이차방정식의 근과 계수의 관계로부터 $r^2+s^2=1$, $r^2s^2=c$를 만족한다. 한편

$$0=\int_{-s}^{s}(x^4-x^2+c)dx=2\left(\frac{1}{5}s^5-\frac{1}{3}s^3+cs\right)$$

이므로 $c=s^2(1-s^2)$를 대입하여 풀면 $s^2=\frac{5}{6}$이므로 $c=\frac{5}{36}$이다.

(3) $L(x)=c(x-m)+d$라 두면

$$G(x)=x^4-4x^3+9x-\frac{11}{2}=(x-m)^4+a(x-m)^2+b+c(x-m)+d$$

이다. 양변의 계수를 비교하면 $m=1$, $a=-6$, $c=1$이고 $b+d=\frac{1}{2}$이다. 따라서

$$G(x)=(x-1)^4-6(x-1)^2+(x-1)+\frac{1}{2}=F(x-1)+L(x)$$

이므로 구하는 $F(x)$와 $L(x)$는 모든 실수 b에 대하여

$$F(x)=x^4-6x^2+b,\quad L(x)=(x-1)+\frac{1}{2}-b=x-\frac{1}{2}-b$$

이다. 한편, 방정식 $G(x)-L(x)=0$이 서로 다른 네 실근을 가지면 방정식 $F(x)=0$도 서로 다른 네 실근을 갖는다. 조건으로부터 방정식 $F(x)=0$의 가장 큰 실근은 $t-m=t-1>0$이다. ③으로부터

$$0=\int_{1}^{t}F(x-1)dx=\int_{0}^{t-1}F(x)dx=\int_{0}^{t-1}(x^4-6x^2+b)dx=\frac{(t-1)^5}{5}-2(t-1)^3+b(t-1)$$

이고 $0=F(t-1)=(t-1)^4-6(t-1)^2+b$이다. 이 두 방정식을 연립하며 풀면 $t=1+\sqrt{5}$이고 $b=5$이므로 구하는 일차함수는 $L(x)=x-\frac{11}{2}$이다.

6. 2023학년도 아주대 모의 논술

[문제 1-1] (20점) 제시문 (가)를 읽고 물음에 답하여라.

(1) 닫힌구간 $[a-2,\ a+2]$에서 이차함수 $y=2x^2-4x+a$가 최솟값 20을 갖도록 하는 실수 a의 값을 모두 구하여라.

(2) 닫힌구간 $\left[0,\ \frac{\pi}{2}\right]$에서 함수 $f(x)=x+\sin 4x-1$의 최솟값을 구하여라.

[문제 1-2] (30점) 제시문 (나)와 (다)를 읽고 물음에 답하여라.

(1) 곡선 $y=2x^2-3x-5$에 대한 서로 다른 두 접선이 모두 점 $(-1,\ -2)$를 지날 때, 이 곡선과 두 접선으로 둘러싸인 영역의 넓이를 구하여라.

(2) 삼차함수 $f(x)=ax^3+bx^2+cx+d\ (a\neq 0)$라 할 때, 곡선 $y=f(x)$위의 서로 다른 두 점에서의 접선은 일치할 수 없음을 보여라.

(3) 곡선 $y=x^3-3x^2-2$에 대한 서로 다른 세 접선이 모두 점 $(x_0,\ y_0)$를 지난다. 자연수 $x_0,\ y_0$에 대하여, x_0+y_0의 최솟값을 구하여라.

[문제 2-1] (30점) 제시문 (가)를 읽고 물음에 답하여라.

(1) $k=3$이고 S가 공집합일 때, $g(1)+g(2)+g(3)+g(4)+\cdots+g(24)$를 구하여라.

(2) $k=4$이고 $g(n)=n(n-1)(n-2)^2$이 되도록 하는 S를 하나 제시하고 그 이유를 설명하여라.

(3) 집합 S가 $\{(1,\ 2),\ (2,\ 3),\ (3,\ 4)\}$일 때 <조건>을 만족하는 함수 $f_1: P_4 \to P_4$와 집합 S가 $\{(1,\ 2),\ (2,\ 3),\ (3,\ 4),\ (1,\ 4)\}$일 때 <조건>을 만족하는 함수 $f_2: P_4 \to P_4$가 있다. 합성함수 $F=f_1 \circ f_2: P_4 \to P_4$가 $F(1)=F(2)=F(3)=F(4)=1$을 만족하는 순서쌍 $(f_1,\ f_2)$의 개수를 구하여라.

[문제 2-2] (20점) 제시문 (가)와 (나)를 읽고 물음에 답하여라.

(1) 초항이 a이고 공차가 d인 등차수열 $\{c_n\}$은 부등식 (*)를 만족함을 증명하여라.

(2) 한 고등학생이 주어진 S와 $k=4$에 대하여 함수 $g(n)$을 구한 다음 $g(0)=g(1)=0$, $g(2)=24$, $g(3)=120$이라고 주장하였다. 이 이야기를 들은 고등학생 아주는 이 학생의 계산이 잘못되었다고 예상하였다. 아주는 어떻게 이런 결론을 내릴 수 있었을까?

[1-1] (20점)

(1) (10점) $y=2x^2-4x+a=2(x-1)^2+a-2$**이므로, 꼭짓점의** x**좌표는 1이고 이것이 구간** $[a-2,\ a+2]$**에 포함되는지에 따라 최솟값을 아래와 같이 구할 수 있다.**

① $-1 \le a \le 3$**인 경우: 구간** $[a-2,\ a+2]$**에 꼭짓점의** x**좌표 1이 포함되므로** $x=1$**일 때 최솟값** $a-2=20$**을 갖는다. 이때,** $a=22$**이므로** $-1 \le a \le 3$**에 모순이다.**

② $a<-1$**인 경우:** $a+2<1$**이므로 구간** $[a-2,\ a+2]$**에서 주어진 함수는 감소하고,** $x=a+2$**일 때 최솟값** $2(a+1)^2+a-2=20$**을 갖는다.** $2a^2+5a=20$**이므로 근의 공식에 의해** $a=\dfrac{-5\pm\sqrt{185}}{4}$**이고,** $a<-1$**이므로** $a=\dfrac{-5-\sqrt{185}}{4}$**이다.**

③ $a>3$**인 경우:** $a-2>1$**이므로 구간** $[a-2,\ a+2]$**에서 주어진 함수는 증가하고,** $x=a-2$**일 때 최솟값** $2(a-3)^2+a-2=20$**을 갖는다.** $2a^2-11a+16=20$**이고 근의 공식에 의해** $a=\dfrac{11\pm3\sqrt{17}}{4}$**이고,** $a>3$**이므로** $a=\dfrac{11+3\sqrt{17}}{4}$**이다.**

따라서, $a=\dfrac{-5-\sqrt{185}}{4}$ **또는** $a=\dfrac{11+3\sqrt{17}}{4}$**이다.**

(2) (10점) $f'(x)=1+4\cos 4x$**이므로,** $0<x<\dfrac{\pi}{2}$**에서** $\cos 4x=-\dfrac{1}{4}$**를 만족하는** x**를** $\theta_1,\ \theta_2\,(\theta_1<\theta_2)$**라 두자. 이때, 닫힌구간** $\left[0,\ \dfrac{\pi}{2}\right]$**에서 함수** $f(x)$**의 증가와 감소를 표로 나타내면 아래와 같다.**

x	0	$\cdots$	θ_1	$\cdots$	θ_2	$\cdots$	$\frac{\pi}{2}$
$f'(x)$		+	0	−	0	+	
$f(x)$	−1	↗	극댓값	↘	극솟값	↗	$\frac{\pi}{2}$

$x=\theta_2$**일 때** $f(x)=x+\sin 4x-1$**가 극솟값을 가지므로** $f(0)$**과** $f(\theta_2)$**중 작은 값이 최솟값이 된다.**

한편, $\frac{\pi}{4}<\theta_2<\frac{\pi}{2}$**이고** $\cos 4\theta_2=-\frac{1}{4}$**이므로** $\sin 4\theta_2=-\frac{\sqrt{15}}{4}$**이며,**

$\sin 4\theta_2=-\frac{\sqrt{15}}{4}<-\frac{\sqrt{3}}{2}=\sin\frac{4\pi}{3}$**이므로** $\theta_2>\frac{\pi}{3}$**임을 알 수 있다. 따라서,**

$$f(\theta_2)=\theta_2+\sin 4\theta_2-1>\frac{\pi}{3}-\frac{\sqrt{15}}{4}-1>-1=f(0)$$

이므로 닫힌구간 $\left[0,\ \frac{\pi}{2}\right]$**에서 함수** $f(x)$**의 최솟값은** $f(0)=-1$**이다.**

[1-2] (30점)

(1) (10점) 제시문 (나)에 의해, 주어진 곡선 위의 점 $(t,\ 2t^2-3t-5)$**가 접점인 접선의 방정식이 점** $(-1,\ -2)$**를 지나면** $-2-(2t^2-3t-5)=(4t-3)(-1-t)$**를 만족한다. 이것을 풀면** $t=0,\ -2$**이므로,** $t=0$**일 때 접점** $(0,\ -5)$**에서의 접선의 방정식은** $y=-3x-5$**이고,** $t=-2$**일 때 접점** $(-2,\ 9)$**에서의 접선의 방정식은** $y=-11x-13$**이다. 따라서, 구하고자 하는 영역은 아래 색칠된 영역과 같다.**

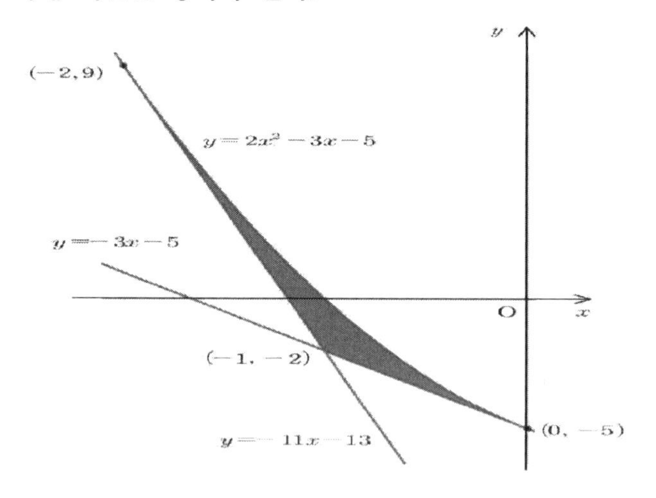

색칠된 영역의 넓이를 적분으로 나타내고 계산하면,

$$\int_{-2}^{-1}(2x^2-3x-5)-(-11x-13)dx+\int_{-1}^{0}(2x^2-3x-5)-(-3x-5)dx=\frac{4}{3}$$

이므로 구하고자 하는 영역의 넓이는 $\frac{4}{3}$**이다.**

(2) (10점)

주어진 삼차함수 $f(x)$에 대하여, 제시문 (다)에서와 같이 곡선 $y=f(x)$위의 서로 다른 두 점 $(p,\ f(p))$와 $(q,\ f(q))$에서의 두 접선이 일치한다고 가정하자. 따라서

$$f'(p)=f'(q)=\frac{f(q)-f(p)}{q-p}$$

를 만족한다. 이때, p와 q는 서로 다르므로 $p<q$라 하자.

삼차함수 $f(x)$는 닫힌구간 $[p,\ q]$에서 연속이고 열린구간 $(p,\ q)$에서 미분가능하므로, 평균값 정리에 의해 $\dfrac{f(q)-f(p)}{q-p}=f'(c)$이고 $p<c<q$인 c가 적어도 하나 존재한다. 따라서, 제시문 (다)와 평균값 정리에 의해 $p<c<q$인 어떤 c에 대하여 $f'(p)=f'(c)=f'(q)$가 성립한다. 한편, $f'(x)$는 이차함수이고 $f'(p)=f'(c)=f'(q)$을 만족하는 서로 다른 세 실수 $p,\ c,\ q$가 존재할 수 없으므로, 삼차함수 $f(x)$에 대하여 곡선 $y=f(x)$위의 서로 다른 두 점에서의 접선이 일치한다는 가정에 모순이다.

(3) (10점)

곡선 $y=x^3-3x^2-2$에 대한 접선이 점 $(t,\ t^3-3t^2-2)$에서 접하며 점 $(x_0,\ y_0)$를 지난다고 하자.

제시문 (나)에 의해, $y_0-t^3+3t^2+2=(3t^2-6t)(x_0-t)$이므로 이를 t에 대해 정리하면 $2t^3-(3+3x_0)t^2+6x_0t+(y_0+2)=0$이다. $g(t)=2t^3-(3+3x_0)t^2+6x_0t+(y_0+2)$라 두자.

앞의 문항 (2)의 결과로부터 삼차함수의 그래프에 대한 각 접선은 정확히 하나의 접점만을 가져야 하므로, t에 대한 방정식 $g(t)=0$이 서로 다른 세 실근을 갖도록 하는 자연수 x_0, y_0를 구하면 된다.

$g'(t)=6t^2-(6+6x_0)t+6x_0=(6t-6)(t-x_0)$이므로 함수 $g(t)$는 $t=1,\ x_0$일 때 극값을 갖는다. 또한 x_0, y_0는 자연수이므로, $g(1)=3x_0+y_0+1>0$이다.

함수 $g(t)$는 서로 다른 부호의 극값을 가져야 하므로,

$$g(x_0)=2x_0^3-(3+3x_0)x_0^2+6x_0^2+(y_0+2)=-x_0^3+3x_0^2+2+y_0<0$$

이다. 이때, $x_0=3$이면 $g(x_0)=-x_0^3+3x_0^2+2+y_0=2+y_0>0$이므로, $x_0\geq 4$이다. 따라서, $x_0+y_0\geq 5$이므로 구하고자 하는 답은 5이다.

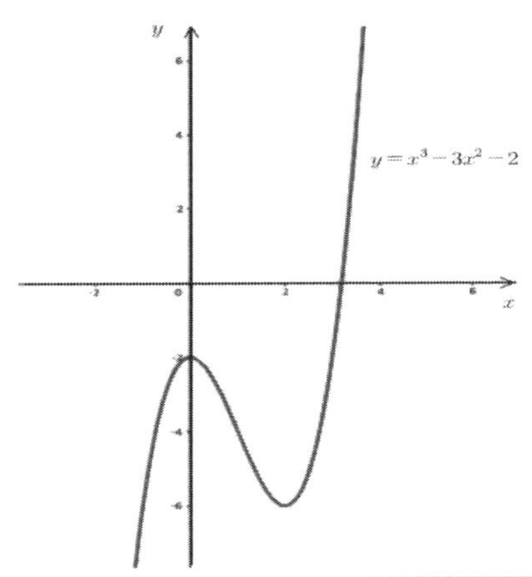

[2-1] (30점)

(1) (10점) $g(n)=n^3$**이므로** $g(1)+\cdots+g(24)=\left(\dfrac{24\cdot 25}{2}\right)^2=300^2=90000$

(2) (10점) $g(n)$**이** n, $n-1$, $n-2$**를 인수로 가지므로 집합** S**가** $(1, 2)$, $(2, 3)$, $(1, 3)$**을 원소로 갖고 있는 경우를 생각할 수 있다.** $f(4)$**가 될 수 있는 값이** $n-2$**개가 되어야 하므로** 4**를 포함하는** S**의 순서쌍이 두 개 있어야 한다. 따라서**
$S=\{(1, 2), (2, 3), (1, 3), (1, 4), (2, 4)\}$**가 하나의 예가 된다.**

***참고.** S**의 원소의 개수가 다섯 개면 정답.**

(3) (10점) 합성함수 $F=f_1\circ f_2$**의 모든 값이** 1**이 되어야 하므로, 집합** $A=\{x|f_1(x)=1\}$**을 생각한다.**

$S_1=\{(1, 2), (2, 3), (3, 4)\}$**라 두고** $S_2=\{(1, 2), (2, 3), (3, 4), (1, 4)\}$**라 두자. 집합** S_1**의 조건으로부터 이웃한 두 자연수의** f_1**값이 동시에** 1**일 수 없으므로** $n(A)\le 2$**임을 알 수 있다. 한편, 함수** f_2**의 값은 항상** A**에 포함되어야 하므로 집합** S_2**의 조건을 사용하면** $n(A)>1$**을 얻는다. 따라서** $n(A)=2$**이며 가능한 경우는** $A=\{1, 3\}$, $\{1, 4\}$, $\{2, 4\}$**의 세 경우 뿐이다. 또한 집합** S_2**의 조건을 사용하면 함수** f_2**는** 1**에서의 값으로 완전히 결정됨을 알 수 있어, 가능한** f_2**의 개수는 집합** A**와는 관계없이 항상** 2**개가 된다.**

① $A=\{1, 3\}$**인 경우,** $f_1(2)$**와** $f_1(4)$**의 값이** $2, 3, 4$**중 하나이므로 총** $3^2\cdot 2=18$**개의 순서쌍** (f_1, f_2)**를 얻는다.**

② $A=\{1, 4\}$**인 경우,** $f_1(2)$**와** $f_1(3)$**의 값이** $2, 3, 4$**중 하나이면서 서로 같지 않아야 하 므로 총** $3\cdot 2\cdot 2=12$**개의 순서쌍을 얻는다.**

③ $A=\{2, 4\}$**인 경우, ①번 경우와 같은 이유로** 18**개의 순서쌍을 얻는다.**
든 경우의 수를 더하면 $18+12+18=48$**이다.**

[2-2] (20점)

(1) (10점) $c_m=a+(m-1)d$**이므로,** $c_m^2-c_{m-1}c_{m+1}=d^2\ge 0$**이다.**

(2) (10점) 제시문 (나)에 의하여 $g(n)$**은 4차 함수이며, 제시된 조건** $g(0)=g(1)=0$**으로 부터** $g(n)=n(n-1)(n^2+an+b)$**라 둘 수 있다.** $g(2)=24$, $g(3)=120$**이므로 이를 풀어보면** $a=3$, $b=2$**를 얻는다. 따라서** $g(n)=n^4+2n^3-n^2-2n$**이 된다. 한편** $c_2^2=1<c_1c_3=4$**이므 로 부등식 (*)를 만족하지 않는다. 따라서 이러한** S**는 존재할 수 없다.**

7. 2022학년도 아주대 수시 논술 (오전)

[문제 1-1] (25점) [그림 1-2]와 같이 단위원 위의 점 I에서 빛이 발사각 θ를 이루며 발사되어 제 2사분면에서 원 위의 2번째 반사지점을 지나 제 3사분면에서 원 위의 3번째 반사지점을 갖게 된다고 하자.

(1) 발사각 θ의 범위를 구하고, 빛이 통과하는 x축 위의 점 P의 x좌표를 θ를 이용하여 나타내라.

(2) $\theta=\frac{7\pi}{24}$이고 $a=\cos\frac{\pi}{24}$라 할 때, 2번째 반사지점에서 점 P까지 빛이 이동한 거리를 a에 대한 식으로 나타내라.

[문제 1-2] (15점) [그림 1-3]에서 $\angle IOA=\frac{18\pi}{64}$이고 $\angle IOB=\frac{21\pi}{64}$이다. 호 AB를 H라 하자. 발사각이 $\theta=\frac{59\pi}{128}$일 때, 점 I에서 발사된 빛이 n번째 반사지점에서 H와 2번째로 만난다고 하자. n을 구하라.

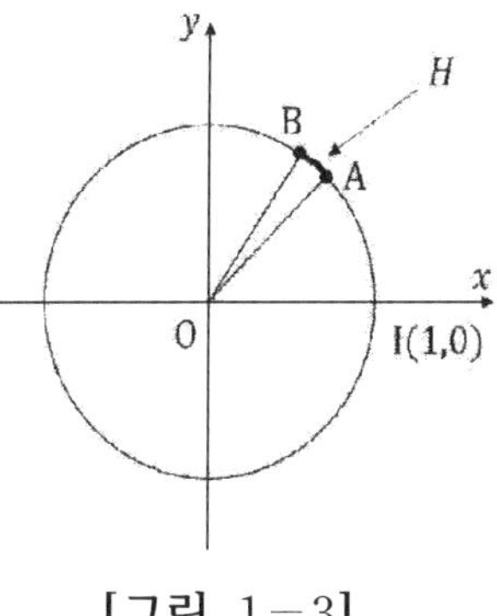

[그림 1−3]

[문제 1-3] (10점) 점 I에서 빛이 발사각 $\theta=\frac{\pi}{\sqrt{6}}$로 발사되었을 때, 점 I가 반사지점이 될 수 없음을 $\sqrt{6}$이 무리수라는 사실을 이용하여 증명하라.

[문제 2-1] (10점) 원의 중심 $(a,\ 0)$과 점 $(s,\ t)$를 잇는 선분을 l_1이라 하고 l_1과 x축이 이루는 예각을 θ(라디안)이라고 하자. a가 0에 한없이 가까워질 때, θ가 $\frac{\pi}{2}$에 한없이 가까워짐을 보여라.

[문제 2-2] (20점) $n=0,\ 1,\ 2,\ \cdots$에 대하여 다음의 물음에 답하라.

(1) $\frac{a^n}{r}$을 $a,\ r,\ t$를 포함하지 않는 s만의 식으로 나타내라.

(2) $\lim_{a\to 0+}\frac{a^n}{r}$이 정수가 되는 n을 모두 구하라.

[문제 2-3] (20점) 제시문과 [문제 2-1]을 참고하여 다음의 물음에 답하라.

(1) x축에 대하여 선분 l_1과 대칭인 선분을 l_2라 하자. $x\ge 0$에서 정의된 두 곡선 $y=x^2$, $y=-x^2$과 두 선분 l_1, l_2로 둘러싸인 영역의 넓이를 S라 하자. S를 $a,\ r,\ t$를 포함하지 않는 s만의 식으로 나타내라.

(2) (1)에서 서술한 영역 중 원 내부에 포함된 부분의 넓이를 T라 할 때, $\lim_{a\to 0+}\frac{T}{S}$을 구하라.

[문제 1-1] (25점)

(1) 빛의 입사각과 반사각이 같으므로 첫 번째 반사지점을 지나는 동경과 시초선(x축의 양의 방향 반직선)이 이루는 각을 α라고 두면, $\alpha=\pi-2\theta$이고 $0<\theta<\frac{\pi}{2}$이므로

$0 < \alpha < \pi$**이다. 또한** 2**번째,** 3**번째 반사지점을 지나는 동경과 시초선이 이루는 각은 각각** 2α, 3α**가 된다. 문제의 가정에 의해** $2\alpha < \pi < 3\alpha$**이므로** $\alpha = \pi - 2\theta$**로 부터 부등식** $\frac{\pi}{4} < \theta < \frac{\pi}{3}$**을 얻는다. 이때, 점** $\mathrm{P}(x,\ 0)$**에 대하여 선분** OP**의 길이는** $-x$**이므로, 두 번째 반사지점과 점** P, **원점** O**를 꼭지점으로 하는 삼각형과 사인법칙에 의해,**

$$\frac{-x}{\sin\theta} = \frac{1}{\sin(2\pi - 5\theta)}$$

이다. 따라서, $\sin(2\pi - 5\theta) = -\sin5\theta$**에 의해서** $x = \frac{\sin\theta}{\sin5\theta}$**이다.**

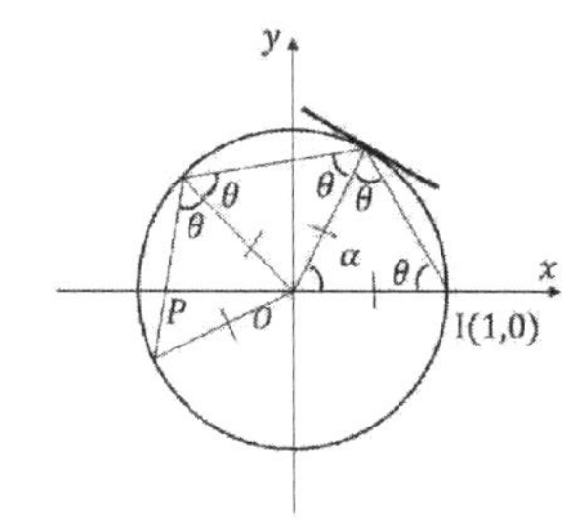

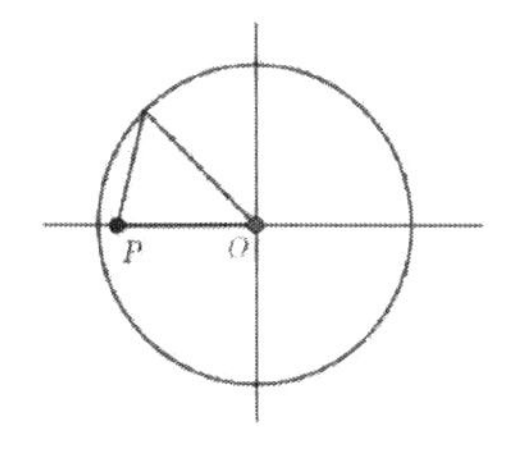

(2) $\theta = \frac{7\pi}{24}$**이므로 덧셈정리를 이용하여**

$$\sin\theta = \sin\frac{7\pi}{24} = \sin\left(\frac{\pi}{3} - \frac{\pi}{24}\right) = \sin\frac{\pi}{3}\cos\frac{\pi}{24} - \cos\frac{\pi}{3}\sin\frac{\pi}{24} = \frac{1}{2}\left\{a\sqrt{3} - \sqrt{1-a^2}\right\}$$

을 얻고

$$\sin5\theta = \sin\frac{35\pi}{24} = \sin\left(\frac{3\pi}{2} - \frac{\pi}{24}\right) = \sin\frac{3\pi}{2}\cos\frac{\pi}{24} - \cos\frac{3\pi}{2}\sin\frac{\pi}{24} = -a$$

이므로, 점 P**의** x**좌표는** $\frac{\sin\theta}{\sin5\theta} = -\frac{\sqrt{3}}{2} + \frac{\sqrt{1-a^2}}{2a}$**이다. 한편** $2\alpha = 2\pi - 4\theta = \frac{5\pi}{6}$**이므로** 2**번째 반사지점의 좌표는** $(\cos2\alpha,\ \sin2\alpha) = \left(-\frac{\sqrt{3}}{2},\ \frac{1}{2}\right)$**이다. 따라서,** 2**번째 반사지점에서 점** P**까지 빛의 이동거리는**

$$\sqrt{(x - \cos2\alpha)^2 + (\sin2\alpha)^2} = \sqrt{\left(\frac{\sqrt{1-a^2}}{2a}\right)^2 + \frac{1}{4}} = \frac{1}{2a}$$

이다.

[문제 1-2] (15점)

첫 번째 반사지점을 지나는 동경이 시초선과 이루는 각은 $\alpha = \pi - 2\theta = \frac{5\pi}{64}$**이다. 두 번째 이상의 각 반사지점의 동경과 시초선이 이루는 각은 직전 반사지점을 지나는 동경과 시초선이 이루는 각에** $\alpha = \frac{5\pi}{64}$**을 더한 것이므로,** n**번째 반사지점의 동경과 시초선이 이루는**

각은 $n\alpha=\frac{5n\pi}{64}$가 된다. 따라서 문제에서 주어진 호 H에 n번째 반사지점이 있다는 것은 어떤 $p=0, 1, 2, \cdots$에 대하여

$$2p\pi+\frac{18\pi}{64}\le\frac{5n\pi}{64}\le 2p\pi+\frac{21\pi}{64}$$

를 만족한다는 의미가 된다. 빛이 2번째로 호 H와 만나게 되는 순간의 n을 p의 값을 키워가며 찾아간다.

- $p=0$일 때,

$$\frac{18\pi}{64}\le\frac{5n\pi}{64}\le\frac{21\pi}{64}$$

를 정리하면 $18\le 5n\le 21$, 즉 $n=4$이다. 따라서 빛은 4번째 반사지점에서 처음 호 H와 만난다.

- $p=1$일 때,

$$2\pi+\frac{18\pi}{64}\le\frac{5n\pi}{64}\le 2\pi+\frac{21\pi}{64}$$

를 정리하면 $146\le 5n\le 149$인데, 이 부등식을 만족하는 자연수 n은 없다.

- $p=2$일 때,

$$4\pi+\frac{18\pi}{64}\le\frac{5n\pi}{64}\le 4\pi+\frac{21\pi}{64}$$

를 정리하면 $274\le 5n\le 277$이고, $n=55$이다. 따라서, 빛이 2번째로 호 H와 만나는 반사지점은 55번째 반사지점이다.

[문제 1-3] (10점) 점 I(1, 0)이 발사된 빛의 반사지점 중 하나가 된다고 가정하자. 그러면 적당한 자연수 n과 p에 대해

$$n\left(\pi-\frac{2\pi}{\sqrt{6}}\right)=2p\pi \text{ 또는 } \sqrt{6}=\frac{n}{n-2p}$$

을 만족해야 한다. 하지만, 두 번째 식의 우변이 유리수이므로 $\sqrt{6}$이 무리수라는 사실에 모순이다. 따라서 귀류법에 의하여, 위 식을 만족하는 n과 p를 찾을 수 없고, 점 I(1, 0)은 발사각이 $\theta=\frac{\pi}{\sqrt{6}}$인 빛의 반사지점 중 하나가 될 수 없다.

[문제 2-1] (10점)
식 (ㄱ)을 이용하면

$$\sin\theta=\frac{t}{r}=\frac{t}{\sqrt{(a-s)^2+t^2}}=\frac{t}{\sqrt{(2st)^2+t^2}}=\frac{1}{\sqrt{4s^2+1}}$$

이고 $\lim_{a\to 0+}\sin\theta=\lim_{s\to 0+}\frac{1}{\sqrt{4s^2+1}}=1$이 된다. $0<\theta<\frac{\pi}{2}$이고 $1=\sin\frac{\pi}{2}$이므로 사인함수의

연속성에 의하여 $\lim_{a\to 0+}\theta=\frac{\pi}{2}$이다.

[문제 2-2] (20점)

(1) 점 $(s,\ t)$와 점 $(a,\ 0)$사이의 거리가 원의 반지름 r이다. 이와 함께 식 (ㄱ)과 점 $(s,\ t)$가 포물선 위에 있 다는 것을 이용하면 식

$$r=t\sqrt{4s^2+1}=s^2\sqrt{4s^2+1}$$

을 얻는다. 위 식과 식 $2s^3+s=a$를 이용하면

$$\frac{a^n}{r}=\frac{(2s^3+s)^n}{s^2\sqrt{4s^2+1}}$$

의 식을 얻게 된다.

(2) n에 따라 다음의 극한을 관찰할 수 있다.

$n=0;$
$$\lim_{a\to 0+}\frac{a^0}{r}=\lim_{s\to 0+}\frac{1}{s^2\sqrt{4s^2+1}}=\infty.$$

$n=1;$
$$\lim_{a\to 0+}\frac{a}{r}=\lim_{s\to 0+}\frac{2s^3+s}{s^2\sqrt{4s^2+1}}=\lim_{s\to 0+}\frac{2s^2+1}{s\sqrt{4s^2+1}}=\infty.$$

$n=2;$
$$\lim_{a\to 0+}\frac{a^2}{r}=\lim_{s\to 0+}\frac{(2s^3+s)^2}{s^2\sqrt{4s^2+1}}=\lim_{s\to 0+}\frac{(2s^2+1)^2}{\sqrt{4s^2+1}}=1.$$

$n\geq 3;$
$$\lim_{a\to 0+}\frac{a^n}{r}=\lim_{s\to 0+}\frac{(2s^3+s)^n}{s^2\sqrt{4s^2+1}}=\lim_{s\to 0+}\frac{(2s^2+1)^n s^{n-2}}{\sqrt{4s^2+1}}=0.$$

따라서 문제에서 구하는 답은 2이상의 정수가 된다.

[문제 2-3] (20점)

(1) 관찰을 통해 $S=(a-s)t+2\int_0^s x^2dx$임을 알 수 있다. 따라서, 식 (ㄱ)과 점 $(s,\ t)$가 포물선 위에 있다는 것에 의하여 식

$$S=(2st)t+\frac{2}{3}s^3=2s^5+\frac{2}{3}s^3$$

을 얻는다.

(2) 부채꼴의 넓이의 공식을 이용하면 $T=r^2\theta=s^4(4s^2+1)\theta$이다. 따라서 $\lim_{a\to 0+}\theta=\frac{\pi}{2}$를 이용하면

$$\lim_{a\to 0+}\frac{T}{S}=\lim_{s\to 0+}\frac{s(4s^2+1)}{2s^2+\frac{2}{3}}\lim_{a\to 0+}\theta=0$$

의 극한값을 얻게 된다.

8. 2022학년도 아주대 수시 논술 (오후)

[문제 1-1] (20점) 제시문 (가)를 읽고 다음 질문에 답하라.

(1) 모든 자연수 n에 대하여 다음 부등식이 성립함을 수학적 귀납법을 이용하여 증명하라.

$$\left(\frac{3}{2}\right)^n \le a_n \le 2^n$$

(2) $A=\lim_{n\to\infty}\frac{a_{n+1}}{a_n}$라 하자. A의 값을 구하라.

[문제 1-2] (30점) 제시문 (나)를 읽고 다음 질문에 답하라.

(1) 모든 자연수 n에 대하여 성립하는 b_n, b_{n+1}, b_{n+2}, b_{n+3}의 관계식을 구하라.

(2) $B=\lim_{n\to\infty}\frac{b_{n+1}}{b_n}$라 하자. 부등식 $\frac{3}{2}<B<2$이 성립함을 증명하라.

[문제 2-1] (15점) 제시문 (가)를 읽고 다음 물음에 답하라.

(1) 각 자연수 n에 대하여 제시문 (가)에서 서술한 S_n을 구하라.

(2) 급수 $\sum_{n=1}^{\infty}S_n$의 값을 구하라.

[문제 2-2] (35점) 제시문을 이용하여 다음 물음에 답하라.

(1) 각 자연수 n에 대하여 제시문 (나)에서 서술한 T_n을 n과 α에 대한 식으로 나타내라.

(2) $\lim_{\alpha\to 0+}T_n$을 구하라.

(3) $n=1$이라 하자. (1)과 제시문 (다)를 이용하여 $\alpha=\frac{\pi}{2}$일 때 T_1이 최댓값을 가짐을 증명하라.

(4) (3)을 이용하여 각 자연수 n에 대하여 T_n의 최댓값을 구하라.

[문제 1-1] (20점)

(1) $a_2 \le 2a_1$**이고,** $n \ge 3$**이면** $a_n = a_{n-1}+a_{n-2} \le 2a_{n-1}$**이다. 그러므로**

$$a_n \le 2a_{n-1},\quad (n \ge 2) \cdots ①$$

이 성립한다.

$n=1$**일 때,** $a_1=2$**이므로** $\frac{3}{2} \le a_1 \le 2$**이 성립한다.**

$n=2$일 때, $a_2=3$이므로 $\left(\frac{3}{2}\right)^2 \le a_2 \le 2^2$이 성립한다.

$k \ge 2$이라 하자. 주어진 부등식이 $n=k$일 때 성립한다고 가정하고 $n=k+1$일 때 성립함을 증명한다. ①을 이용하면 다음이 성립함을 알 수 있다.

$$a_{k+1} \le 2a_k \le 2\times 2^k = 2^{k+1}$$

한편 ①을 이용하면, $3a_k = 2a_k + a_k \le 2a_k + 2a_{k-1} = 2(a_k + a_{k-1}) = 2a_{k+1}$이다. 즉, $a_{k+1} \ge \frac{3}{2}a_k$이다. 따라서

$$a_{k+1} \ge \frac{3}{2}a_k \ge \frac{3}{2}\left(\frac{3}{2}\right)^k \ge \left(\frac{3}{2}\right)^{k+1}$$

이 성립한다.

(2) 모든 자연수 n에 대하여 $a_{n+1} \ge a_n$이므로 $A \ge 1$이다. 관계식 $a_{n+2}=a_{n+1}+a_n$의 양변을 a_{n+1}로 나누면

$$\frac{a_{n+2}}{a_{n+1}} = 1 + \frac{a_n}{a_{n+1}}$$

을 얻는다. $\lim_{n\to\infty}\frac{a_{n+2}}{a_{n+1}}=A$이고 $\lim_{n\to\infty}\frac{a_n}{a_{n+1}}=\frac{1}{A}$이므로 위의 식의 양변에서 n을 무한대로 보내면 $A=1+\frac{1}{A}$이 된다. 즉 $A^2-A-1=0$. 그러므로 A는 $x^2-x-1=0$의 근이다. 이 방정식의 두 근은 $\frac{1\pm\sqrt{5}}{2}$인데, $A\ge 1$이므로 $A=\frac{1+\sqrt{5}}{2}$이다.

[문제 1-2] (30점)

(1) 길이 $(n+3)$이며 조건 (ㄴ)을 만족하는 모스부호의 첫 번째와 두 번째 신호에 따라 경우를 나누어 생각 한다.

(a) 첫 번째 신호가 S인 경우: 2번째부터 $(n+3)$번째까지 신호로 이루어진 모스부호는 길이가 $(n+2)$이며 조건 (ㄴ)을 만족하므로 이 경우의 모스부호 개수는 b_{n+2}이다.

(b) 첫 번째 신호는 L이고, 두 번째 신호는 S인 경우: 3번째부터 $(n+3)$번째까지 신호로 이루어진 모스부호는 길이가 $(n+1)$이며 조건 (ㄴ)을 만족하므로 이 경우의 모스부호 개수는 b_{n+1}이다.

(c) 첫 번째 신호와 두 번째 신호가 모두 L인 경우: 3번째 신호는 자동적으로 S이다. 그리고 4번째부터 $(n+3)$번째까지 신호로 이루어진 모스부호는 길이가 n이며 조건 (ㄴ)을 만족하므로 이 경우의 모스부호 개수는 b_n이다.

세 가지 경우의 개수를 모두 합하여 관계식

$$b_{n+3} = b_{n+2} + b_{n+1} + b_n$$

을 얻는다.

(2) 문제 (1)에서 얻은 관계식의 양변을 b_n으로 나누면 $\frac{b_{n+3}}{b_n}=\frac{b_{n+2}}{b_n}+\frac{b_{n+1}}{b_n}+1$이 된다.

그런데

$$\lim_{n\to\infty}\frac{b_{n+3}}{b_n}=\lim_{n\to\infty}\frac{b_{n+3}}{b_{n+2}}\frac{b_{n+2}}{b_{n+1}}\frac{b_{n+1}}{b_n}=B^3,\ \lim_{n\to\infty}\frac{b_{n+2}}{b_n}=\lim_{n\to\infty}\frac{b_{n+2}}{b_{n+1}}\frac{b_{n+1}}{b_n}=B^2$$

이다. 따라서 위의 관계식에서 n을 무한대로 보내어 $B^3=B^2+B+1$을 얻는다. 이제 $f(x)=x^3-x^2-x-1$라 놓으면 B는 방정식 $f(x)=0$의 근이다. $f(x)$의 증감을 조사하면 $y=f(x)$의 그래프는 x축과 한 번 만난다는 사실을 알 수 있다.

x		$-1/3$		1	
$f'(x)$	$+$	0	$-$	0	$+$
$f(x)$	증가	$-22/27$	감소	-2	증가

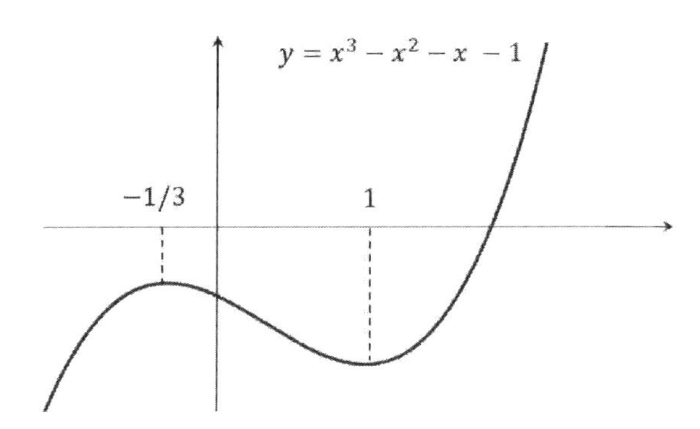

그런데 $f\left(\frac{3}{2}\right)=-\frac{11}{8}<0$이고 $f(2)=1>0$이므로 사잇값 정리에 의하여 $\frac{3}{2}<B<2$이 증명된다.

[문제 2-1] (15점)

(1) 각 자연수 n에 대하여

$$S_n=\int_0^{\pi/n}f(x)dx=\int_0^{\pi/n}\frac{1}{n+1}\sin(nx)dx=\left[-\frac{1}{n(n+1)}\cos(nx)\right]_0^{\pi/n}$$
$$=-\frac{1}{n(n+1)}(-1-1)=\frac{2}{n(n+1)}$$

이 된다.

(2) $\sum_{n=1}^{\infty}S_n=\sum_{n=1}^{\infty}\frac{2}{n(n+1)}=2\sum_{n=1}^{\infty}\left(\frac{1}{n}-\frac{1}{n+1}\right)=2.$

[문제 2-2] (35점)

(1) 세 점 O(0, 0), P(α, $f(\alpha)$), Q(π/n, 0)을 지나는 이차함수는 $g(x)=cx\left(x-\frac{\pi}{n}\right)$의 형태로 표현할 수 있고, 점 P($\alpha$, $f(\alpha)$)를 지나야 하므로 $c=\frac{1}{n+1}\frac{\sin(n\alpha)}{\alpha\left(\alpha-\frac{\pi}{n}\right)}$가 된다. 즉,

$$g(x)=\frac{1}{n+1}\frac{\sin(n\alpha)}{\alpha\left(\alpha-\frac{\pi}{n}\right)}x\left(x-\frac{\pi}{n}\right).$$

따라서, T_n**은**

$$T_n=\frac{1}{n+1}\frac{\sin(n\alpha)}{\alpha\left(\alpha-\frac{\pi}{n}\right)}\int_0^{\pi/n}\left(x^2-\frac{\pi}{n}x\right)dx=\frac{1}{n+1}\frac{\sin(n\alpha)}{\alpha\left(\alpha-\frac{\pi}{n}\right)}\left[\frac{1}{3}x^3-\frac{\pi}{n}\frac{1}{2}x^2\right]_0^{\frac{\pi}{n}}$$

$$=\frac{1}{n+1}\frac{\sin(n\alpha)}{\alpha\left(\alpha-\frac{\pi}{n}\right)}\left(-\frac{1}{6}\right)\left(\frac{\pi}{n}\right)^3$$

이다. 이것을 정리하면

$$T_n=\frac{\pi^3}{6n^2(n+1)}\frac{\sin(n\alpha)}{\alpha(\pi-n\alpha)}$$

(2) $T_n=\frac{\pi^3}{6n(n+1)}\frac{1}{(\pi-n\alpha)}\frac{\sin(n\alpha)}{n\alpha}$**이므로,** $\lim_{\alpha\to 0+}\frac{\sin(n\alpha)}{n\alpha}=1$**을 이용하여 다음을 얻는다.**

$$\lim_{\alpha\to 0+}T_n=\frac{\pi^2}{6n(n+1)}$$

(3) (1)에서 구한 $T_1=\frac{\pi^3}{12}\frac{\sin\alpha}{\alpha(\pi-\alpha)}$**가** $\alpha=\frac{\pi}{2}$**에서 최댓값** $\frac{\pi}{3}$**를 갖는 것을 증명하기 위해서 구간** $0<x<\pi$**에서 정의된 함수** $h(x)=\frac{\sin x}{x(\pi-x)}$**가** $x=\frac{\pi}{2}$**에서 최댓값** $h\left(\frac{\pi}{2}\right)=\frac{4}{\pi^2}$**을 갖는 것을 증명하면 된다. 그런데 함수** $h(x)$**의 그래프는** $x=\frac{\pi}{2}$**를 중심으로 대칭이므로** $0<x\le\frac{\pi}{2}$**일 때** $h(x)=\frac{\sin x}{x(\pi-x)}\le\frac{4}{\pi^2}$**이 성립함을 보이면 된다.**

$k(x)=\frac{4}{\pi^2}x(\pi-x)-\sin x$**라 놓으면,**

제시문 (다)에 의하여 $0<x\le\frac{\pi}{2}$**일 때** $k(x)\ge 0$**을 보이면 된다.**

$k(x)$**와** $k'(x)=\frac{4}{\pi^2}(\pi-2x)-\cos x$**그리고** $k''(x)=-\frac{8}{\pi^2}+\sin x$**에 대한 다음과 같은 사실을 확인 할 수 있다.**

① $\lim_{x\to 0+}k(x)=0,\ k\left(\frac{\pi}{2}\right)=0$

② $\lim_{x\to 0+}k'(x)=\frac{4}{\pi}-1>0,\ k'\left(\frac{\pi}{2}\right)=0.$

③ $k''(x)=0$을 만족하는 x는 구간 $\left(0,\ \frac{\pi}{2}\right)$에 오직 한 개 존재한다.

이제 $k(x)<0$이 되는 x가 구간 $\left(0,\ \frac{\pi}{2}\right)$에 존재한다고 가정하자. 그러면 함수 $k(x)$는 0부터 $\frac{\pi}{2}$사이에서 차례로 증가, 감소, 증가하는 구간을 가지므로 $k'(x)=0$을 만족하는 x가 구간 $\left(0,\ \frac{\pi}{2}\right)$에 2개 이상 존재한다. $k'\left(\frac{\pi}{2}\right)=0$이므로 롤의 정리에 의해 $k''(x)=0$을 만족하는 x가 구간 $\left(0,\ \frac{\pi}{2}\right)$에 2개 이상 존재하고, 이것은 ③에 모순이다. 그러므로 $k(x)\ge 0$이 성립한다.

(4) $T_n=\frac{\pi^3}{6n^2(n+1)}\frac{\sin(n\alpha)}{\alpha(\pi-n\alpha)}$의 최댓값을 구하기 위해 $\frac{\sin(n\alpha)}{\alpha(\pi-n\alpha)}$의 최대값을 구간 $\left(0,\ \frac{\pi}{n}\right)$에서 구하면 된다. $n\alpha=y$로 놓으면 $0<y<\pi$이고, $\frac{\sin(n\alpha)}{\alpha(\pi-n\alpha)}=\frac{n\sin y}{y(\pi-y)}$이다. (3)의 결과에 의하여 이것은 $y=\frac{\pi}{2}$, 즉 $\alpha=\frac{\pi}{2n}$일 때 최대가 된다. 그러므로 T_n의 최댓값은 $\frac{2\pi}{3n(n+1)}$이다.

9. 2022학년도 아주대 모의 논술

[문제 1-1] (10점) 기본수열 $a_1=3,\ a_2=2,\ a_3=2,\ \cdots,\ a_{n-1}=2,\ a_n=3$에 대해, 제2유도수열의 끝항은 짝수이고 끝항을 제외한 모든 항은 홀수임을 보여라. (단, $n\ge 4$)

[문제 1-2] (15점) 기본수열 $a_1=2,\ a_2=2,\ \cdots,\ a_n=2$에 대해, 기약분수로 나타낸 제1유도수열의 제k항 b_k를 k에 대한 식으로 구하고, 이 식이 성립함을 수학적 귀납법으로 증명하라.

[문제 1-3] (10점) 제1유도수열의 끝항이 $\frac{25}{4}$인 기본수열을 구하라.

[문제 1-4] (15점) s와 t가 서로 소인 두 자연수이고 $s>t$이다. 제1유도수열의 끝항이 $\frac{s}{t}$인 기본수열이 항상 존재한다는 것을 증명하라.

[문제 2-1] (30점) n개의 실근을 갖는 n차 다항식 $f(x)$에 대하여 새로운 n차 다항식

$$g(x)=f'(x)-f(x)$$

을 생각하자. 다항식 $f(x)$의 서로 다른 두 실근 사이에 또 다른 실근이 더 이상 없는 경우, 두 실근이 이웃하고 있다고 한다. 다항식 $f(x)$의 이웃한 두 실근 α,β에 대하여 다음을 증명하라. (단, $\alpha<\beta$) 아래에서 자연수 m은 항상 1보다 크다고 가정한다.

(1) α가 $f(x)$의 m중근이면, α는 $g(x)$의 $(m-1)$중근이다.

(2) α, β가 모두 $f(x)$의 단근이면, $g(x)$의 실근이 α와 β 사이에 적어도 한 개 존재한다.

(3) α가 $f(x)$의 단근이고 β는 $f(x)$의 m중근이면, $g(x)$의 실근이 α와 β 사이에 적어도 한 개 존재한다.

[문제 2-2] (10점) n차 다항식 $f(x)$가 n개의 실근을 가지면, 0이 아닌 고정된 실수 a, b에 대하여 다항식

$$h(x) = f''(x) - (a+b)f'(x) + abf(x)$$

도 n개의 실근을 가짐을 제시문의 사실 (라)를 이용하여 보여라.

[문제 2-3] (10점) 다음 조건을 만족하는 0이 아닌 실수 c, d와 2차 다항식 $f(x)$의 예를 제시하고, 제시한 예가 조건을 만족함을 보여라.

[조건1] $f(x)$는 실근을 갖지 않는다.
[조건2] $h(x) = f''(x) - (c+d)f'(x) + cdf(x)$는 2개의 실근을 갖는다.

[문제 1-1] (10점)

제1유도수열은

$$b_1 = 3,\ b_2 = \frac{5}{3},\ b_3 = \frac{7}{5},\ \cdots,\ b_{n-1} = \frac{2(n-1)+1}{2(n-1)-1} = \frac{2n-1}{2n-3},$$

$$b_n = 3 - \frac{1}{\frac{2n-1}{2n-3}} = \frac{4n}{2n-1}$$

이고 각 항이 기약분수이므로, 제2유도수열은

$$c_1 = 3,\ c_2 = 5,\ \cdots,\ c_{n-1} = 2n-1,\ c_n = 4n$$

이다.

[문제 1-2] (10점)

제1유도수열의 일반항은 $b_k = \frac{k+1}{k}$**이다. 해당 식이 성립함을 수학적 귀납법으로 증명하자. 먼저,** $k=1$**이면,** $b_1 = 2$**이므로 해당 식이 성립한다. 제1유도수열의 제**$k-1$**항이** $b_{k-1} = \frac{k}{k-1}$**이라고 가정하자. 그러면,** $b_k = 2 - \frac{1}{\frac{k}{k-1}} = \frac{k+1}{k}$**이다. 따라서 수학적 귀납법에 의해 해당 식이 성립한다.**

[문제 1-3] (15점)

$\frac{25}{4} = 7 - \frac{1}{\frac{4}{3}}$ 이고 $\frac{4}{3} = 2 - \frac{1}{\frac{3}{2}}$ 이며 $\frac{3}{2} = 2 - \frac{1}{2}$ 이다.

따라서, $a_1 = 2, a_2 = 2, a_3 = 2, a_4 = 7$ 이다.

[문제 1-4] (15점)

구하려는 기본수열의 제1유도수열의 끝항을 b_n이라 하면, $b_n = \frac{s}{t} > 1$ 인 유리수이다.

이 때, $1 < b_n = \frac{s}{t} \le d_n < \frac{s}{t} + 1$ 을 만족하는 1보다 큰 자연수 d_n이 유일하게 존재한다.

(1) 만약 $\frac{s}{t}$가 자연수라면, $n = 1$ 이고 구하려는 기본수열은 $a_1 = b_1$이다.

(2) 만약 $\frac{s}{t}$가 자연수가 아닌 유리수라면,

$$b_{n-1} = \frac{t}{td_n - s}$$

라고 두었을 때,

$$b_n = d_n - \frac{1}{b_{n-1}}$$

이고 b_{n-1}은 1보다 큰 유리수이므로 기약분수 $b_{n-1} = \frac{s'}{t'}$ 로 나타낼 수 있고 $s' \le t < s$ 이다.

위의 과정을 반복하여 $b_{n-1}, b_{n-2}, \cdots, b_1$을 얻을 수 있고, 이들을 기약분수로 표현했을 때 각 분자는 감소하는 자연수이므로 이 과정은 유한번 안에 끝난다는 것을 알 수 있다. 또한, 위의 과정에서 1보다 큰 자연수로 구성된 수열 $d_2, d_3, \cdots, d_n$도 얻게 된다. 즉, 제시문에 있는 제1유도수열의 정의에 의하여, 구하려는 기본수열은

$$a_1 = b_1,\ a_2 = d_2,\ \cdots,\ a_n = d_n$$

이다.

[문제 2-1] (30점)

(1) (10점) 제시문에서 설명된 것처럼 $h(\alpha) \ne 0$인 다항식 $h(x)$와 자연수 m이 존재하여 $f(x) = (x-\alpha)^m h(x)$로 표현되고

$$f'(x) = (x-\alpha)^{m-1}(mh(x) + (x-\alpha)h'(x))$$

이므로

$$g(x) = f'(x) - f(x) = (x-\alpha)^{m-1}\{mh(x) + (x-\alpha)(h'(x) - h(x)\}$$

을 얻는다. 이제 $k(x) = mh(x) + (x-\alpha)(h'(x) - h(x))$라 하면 $g(x) = (x-\alpha)^{m-1}k(x)$이고 $k(\alpha) = mh(\alpha) \neq 0$이므로 $g(x)$는 α를 $(m-1)$중근으로 가진다.

(2) (10점) α와 β는 $f(x)$의 이웃한 두 실근이므로 구간 (α, β)에 속하는 모든 x에 대하여
$f(x) > 0$ 이거나 $f(x) < 0$ 를 만족한다.
모든 x에 대하여 $f(x) > 0$ 이면, $f(x)$는 $x = \alpha$에서 증가하고 $x = \beta$에서 감소해야 한다. α와 β는 모두 단근이므로 $g(\alpha) = f'(\alpha) > 0$, $g(\beta) = f'(\beta) < 0$ 이 되고 사잇값의 정리에 의해 α와 β 사이에 $g(x)$의 실근이 존재한다.
모든 x에 대하여 $f(x) < 0$ 이면, $g(\alpha) < 0$, $g(\beta) > 0$이 되어 이 경우 또한 α와 β 사이에 $g(x)$의 실근이 존재한다.

(3) (10점) α와 β는 $f(x)$의 이웃한 두 실근이므로 구간 (α, β)에 속하는 모든 x에 대하여 $f(x) > 0$ 이거나 $f(x) < 0$ 를 만족한다.
모든 x에 대하여 $f(x) > 0$이면, α는 단근이고 $f(x)$는 $x = \alpha$에서 증가하므로 $g(\alpha) = f'(\alpha) > 0$이다. 한편 $f(\alpha) = f(\beta) = 0$이므로 제시문의 사실(나)(또는 롤의 정리)에 의하여 $f'(\gamma) = 0$인 실수 γ가 α와 β 사이에 적어도 하나 존재한다. 이 경우, $f(\gamma)$는 양수이어야 하므로 $g(\gamma) = -f(\gamma) < 0$ 이고 사잇값의 정리에 의해 α와 γ 사이에 $g(x)$의 실근이 존재한다.
모든 x에 대하여 $f(x) < 0$이면, α는 단근이고 $f(x)$는 $x = \alpha$에서 감소하므로 $g(\alpha) = f'(\alpha) < 0$이다. 한편 $f(\alpha) = f(\beta) = 0$와 제시문의 사실(나)(또는 롤의 정리)에 의하여 $f'(\gamma) = 0$인 실수 γ가 α와 β 사이에 적어도 하나 존재하고 $f(\gamma)$는 음수, $g(\gamma) = -f(\gamma) > 0$이므로 다시 한번 사잇값의 정리에 의하여 α와 γ 사이에 $g(x)$의 실근이 존재한다.

[문제 2-2] (10점) $g(x) = f'(x) - af(x)$라 놓으면 제시문의 사실 (라)에 의하여 $g(x)$는 n개의 실근을 갖는다.

$$h(x) = f''(x) - (a+b)f'(x) + abf(x)$$
$$= (f'(x) - af(x))' - b(f'(x) - af(x))$$
$$= g'(x) - bg(x)$$

이므로, 사실 (라)를 $g(x)$에 대하여 다시 적용하면 $h(x)$는 n개의 실근을 갖는다는 결론에 이른다.

[문제 2-3] (10점) $c = d = 1$ 그리고 $f(x) = x^2 + 1$이라 놓는다. $f(x)$는 허근 $\pm i$를 가지므로 문제의 [조건 1]을 만족한다. 한편 $f'(x) = 2x$이고 $f''(x) = 2$이므로
$h(x) = x^2 - 4x + 3 = (x-3)(x-1)$
이다. $h(x)$는 두 실근 $1, 3$을 가지므로 [조건 2]를 만족한다.

10. 2021학년도 아주대 수시 논술 (오전)

[1-1] 제시문 (가)를 읽고 다음 물음에 답하여라.

(1) $n=401$이고 모든 $1 \le k \le n$에 대하여 $x_k = k$인 n개의 정수 x_1, x_2, $\cdots$, x_n을 사용하여 함수 $B(x)$를 만들 때, $B(x)$의 최솟값을 구하여라.

(2) 서로 다른 n개의 실수 x_1, x_2, $\cdots$, x_n을 사용하여 함수 $B(x)$와 집합 S를 만들 때, S의 원소의 제곱의 합을 a_n이라 하자. $\lim\limits_{n \to \infty} \dfrac{a_n}{n^3}$의 값을 구하여라.

(3) 2 이상의 짝수 n에 대해, $1 \le x_1 \le x_2 \le \cdots \le x_n \le 3$을 만족하는 n개의 정수 x_1, x_2, $\cdots$, x_n을 사용하여 함수 $B(x)$와 집합 S를 만들자. S 의 원소의 곱이 양수가 되게 하는 모든 순서쌍 $(x_1,\ x_2,\ \cdots,\ x_n)$의 개수를 n에 대한 식으로 나타내어라.

(4) 모든 $1 \le k \le n$에 대하여 $-1 < x_k < 1$인 n개의 실수 x_1, x_2, $\cdots$, x_n을 사용하여 함수 $B(x)$를 만들자.

방정식 $B(x)=n$의 해가 닫힌구간 $[-1,\ 1]$에 존재하는지 여부를 판단하고 그 이유를 서술하여라.

[1-2] 제시문 (나)를 읽고 다음 물음에 답하여라.

(1) 함수 $f(x)=\sec x$와 $x_1=0$, $x_2=\dfrac{\pi}{3}$를 사용하여 함수 $C(x)$를 만들 때, $\int C(x)\tan x\,dx$를 구하여라.

(2) 함수 $f(x)=e^{3x}-\cos^2(\pi x)$를 사용하여 함수 $C(x)$를 만들었더니 $\lim\limits_{x \to 1} \dfrac{C(x)}{(\ln x)^2}$가 실수 L로 수렴하였다. 이때 L의 값을 구하여라.

[문제 2-1] (22점) 제시문 (가)를 읽고 다음 물음에 답하여라.

(1) $\sum\limits_{k=2}^{n} r(k)$을 n에 대한 식으로 나타내어라.

(2) 5가지의 색을 사용한 $r(5)$개의 모든 삼색기 중에서 임의로 2개를 골랐을 때, 각 깃발에 사용된 색의 집합이 서로소일 확률을 구하여라.

(3) 아래의 그림과 같은 모양을 가진 두 깃발 A와 B가 있다. 3가지의 색을 이용하여 인접한 영역이 서로 다른 색을 가지도록 칠하는 경우의 수를 각각 구하여라. (단, 회전하거나 뒤집어서 두 깃발이 같아지더라 도 이들은 서로 다른 것으로 간주한다.)

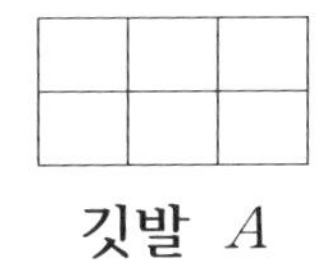
깃발 A

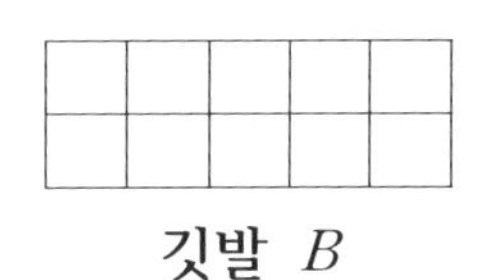
깃발 B

[문항 2-2] (10점) 제시문 (나)에서 $\lim_{n\to\infty} a_n$과 $\lim_{n\to\infty} (b_n)^{2n+2}$의 수렴, 발산을 각각 조사하고, 수렴한다면 그 값을 구하여라.

[문항 2-3] (18점) 제시문 (다)를 읽고 다음 물음에 답하여라.

(1) 함수 $f(x)=\frac{1}{2}\cos^3\left(\frac{\pi}{2}x\right)+a$(단, $|a|\le\frac{1}{2}$) 이 균형 잡힌 깃발을 만들 때, a의 값을 구하여라.

(2) 이차함수 $f(x)=2-bx^2$(단, $b>3$) 이 균형 잡힌 깃발을 만들 때, $\sqrt{b}$의 값을 구하여라.

[문제 1-1]

(1) 구간 $(-\infty,\ 201]$에서 직선의 기울기가 음수이고, 구간 $[201,\ \infty)$에서 기울기가 양수이다. 따라서 그래프의 개형으로부터 $x=201$에서 최솟값을 가짐을 알 수 있다.

따라서 $B(201)=\sum_{k=1}^{401}|201-k|$가 최솟값이 되며, 이를 계산하면

$$B(201)=2\sum_{k=1}^{200}k=2\cdot\frac{200\times 201}{2}=200\times 201=40200$$

이다.

(2) x_k들이 모두 다르기 때문에, 집합 S는 $n+1$개의 원소를 가지고 다음과 같은 형태를 가진다.

$$S=\{-n,\ -(n-2),\ \ldots,\ n-2,\ n\}$$

따라서 S의 원소들의 제곱의 합은

$$\sum_{i=0}^{n}(-n+2i)^2=\sum_{i=0}^{n}(n^2-4ni+4i^2)=n^2(n+1)-4n\sum_{i=1}^{n}i+4\sum_{i=1}^{n}i^2$$

$$=n^2(n+1)-4n\cdot\frac{n(n+1)}{2}+4\cdot\frac{n(n+1)(2n+1)}{6}$$

$$=-n^2(n+1)+\frac{2}{3}\cdot n(n+1)(2n+1)=\frac{n(n+1)(n+2)}{3}$$

이고, a_n은 n에 대한 삼차식으로 최고차항이 $\frac{1}{3}n^3$이 되어 $\lim_{n\to\infty}\frac{a_n}{n^3}=\frac{1}{3}$이다.

(3) $x_k=1$인 k의 개수를 a_1, $x_k=2$인 k의 개수를 a_2, $x_k=3$인 k의 개수를 a_3이라 하고 다음 ①과 ②를 생각하자.

① a_1, a_2, a_3가 모두 양수인 경우:

집합 $S=\{-a_1-a_2-a_3,\ -a_1-a_2+a_3,\ -a_1+a_2+a_3,\ a_1+a_2+a_3\}$이 된다.

이때 $-a_1-a_2-a_3=-n$이고 $a_1+a_2+a_3=n$이므로 S의 원소의 곱이 양수가 되기 위

해서는 $-a_1-a_2+a_3=-n+2a_3<0$이고 $-a_1+a_2+a_3=n-2a_1>0$이어야 한다.

즉, a_1과 a_3은 모두 0보다 크고 $\frac{n}{2}$보다 작은 정수이므로 a_2가 결정되고, 모든 가능한

경우의 수는 $\left(\frac{n}{2}-1\right)^2$이다.

② a_1, a_2 a_3중 어느 하나가 0인 경우:

a_1, a_2 a_3중 0인 것이 2개이면, $S=\{-n, n\}$이 되어 S의 원소의 곱이 항상 음수가 되어 모순이다. 따라서 정확히 하나만 0이 되는데, $a_i=0$이고 a_j, $a_l>0$(단, $j<l$)이라 두자. 그러면, $S=\{-a_j-a_l, -a_j+a_l, -a_j+a_l\}$이고 $-a_j-a_l=-n$이고 $a_j+a_l=n$이므로 $-a_j+a_l<0$가 성립해야 한다. 즉 가능한 경우는 a_l이 0보다 크고 $\frac{n}{2}$보다 작은 정수인 경우로 총 경우의 수는 $\frac{n}{2}-1$이 된다. $a_i=0$인 i를 고르는 방법이 3가지이므로, 이 경우 가능한 경우의 수는 $\frac{3n}{2}-3$이다.

따라서 ①과 ②의 경우를 고려하면 S의 원소의 곱이 양수가 되는 n에 대한 식은 $\left(\frac{n}{2}-1\right)^2+\frac{3n}{2}-3=\frac{n^2}{4}+\frac{n}{2}-2$이다.

(4) $|x_k|<1$로부터 $B(1)=n-\sum x_k$, $B(-1)=n+\sum x_k$이다.

$B(1)=n$이면 $x=1$이 $B(x)=n$의 해가 된다.

$B(1)\neq n$이면, $B(1)+B(-1)=2n$이므로 $B(1)<n$, $B(-1)>n$이거나 $B(1)>n$, $B(-1)<n$이다. 사잇값 정리에 의해 열린구간 $(-1, 1)$에서 방정식 $B(x)-n=0$은 적어도 1개의 해를 가진다. 따라서 방정식 $B(x)=n$은 닫힌구간 $[-1, 1]$에서 항상 해를 가진다.

[문제 1-2]

(1) $\sec 0=1$, $\sec\frac{\pi}{3}=2$이므로 $C(x)=(1-\sec x)^2+(2-\sec x)^2=5-6\sec x+2\sec^2 x$이다.

따라서

$$\int C(x)\tan x dx=5\int \tan x dx-6\int \tan x\sec x dx+2\int \sec^2 x\tan x dx$$

이다. 한편

$$\int \tan x dx=-\ln|\cos x|+C,\ \int \tan x\sec x dx=\sec x+C,\ \int \sec^2 x\tan x dx=\frac{\sec^2 x}{2}+C$$

이므로,

$$\int C(x)\tan x dx=-5\ln|\cos x|-6\sec x+\sec^2 x+C$$

가 된다.

(2) $\lim_{x \to 1} \frac{C(x)}{(\ln x)^2}$이 수렴하고 분모의 극한 $\lim_{x \to 1}(\ln x)^2 = 0$이므로 분자의 극한도 $\lim_{x \to 1} C(x) = 0$이다. $C(x)$가 연속함수이므로,

$$0 = \lim_{x \to 1} C(x) = C(1) = (f(1) - f(x_1))^2 + (f(1) - f(x_2))^2$$

이 되어 $f(1) = f(x_1) = f(x_2)$이고, $C(x) = 2(f(x) - f(1))^2$이다.
이를 계산하기 위해 $\ln x = t$로 치환하면,

$$\lim_{x \to 1} \frac{C(x)}{(\ln x)^2} = 2 \cdot \lim_{x \to 1} \left(\frac{f(x) - f(1)}{\ln x} \right)^2 = 2 \cdot \lim_{t \to 0} \left(\frac{f(e^t) - f(e^0)}{t} \right)^2$$

이 된다.
$g(t) = f(e^t)$라 두면, $g'(t) = f'(e^t)e^t$이며, 미분 계수의 정의로부터

$$\lim_{t \to 0} \frac{g(t) - g(0)}{t - 0} = g'(0) = f'(1) = 3e^3$$

이다. 따라서 답은 $18e^6$이다.

[문제 2-1]
(1) k가지 색을 사용해서 삼색기를 칠하는 방법의 수는 깃발의 이웃하는 영역을 서로 다른 색을 칠하는 경우의 수이다. 이는 곱의 법칙에 의해 $r(k) = k(k-1)(k-1)$이 된다.

$$\begin{aligned} \sum_{k=2}^{n} r(k) &= \sum_{k=2}^{n} k(k-1)(k-1) = \sum_{\ell=1}^{n-1} (l+1)\ell^2 \\ &= \sum_{\ell=1}^{n-1} \ell^3 + \sum_{\ell=1}^{n-1} \ell^2 = \left(\frac{(n-1)n}{2} \right)^2 + \frac{(n-1)n(2n-1)}{6} \\ &= \frac{1}{12}(n-1)n(n+1)(3n-2) \end{aligned}$$

(2) 5가지 색으로 만드는 삼색기의 총 경우의 수 $r(5) = 5 \times 4^2 = 80$이므로 이 중 두 개의 깃발을 뽑는 경우의 수는 ${}_{80}C_2 = 40 \times 79 = 3160$이다.
각 삼색기를 색칠하기 위해서는 두 개 혹은 세 개의 색을 사용해야 한다. 골라진 두 깃발 모두가 세 개의 색을 사용하고 서로 중복되는 색이 사용되지 않았다면 최소 여섯 개의 색이 필요하다. 따라서 주어진 조건을 만족하기 위해서는 두 깃발 모두 두 개의 색을 사용하거나(①), 한 깃발은 세 개의 색, 다른 깃발은 두 개의 색을 사용(②)하여야 한다.

① 두 깃발 모두 두 개의 색을 쓰는 경우 : ${}_5C_2 \times 2 \times {}_3C_2 \times 2 \times \frac{1}{2} = 60$

② 한 깃발은 세 개의 색, 다른 깃발은 두 개의 색을 쓰는 경우 : ${}_5C_3 \times 3! \times {}_2C_2 \times 2 = 120$

①과 ②에 따라서 원하는 확률은 $\frac{60+120}{3160} = \frac{9}{158}$

③ i) 깃발 A를 칠하는 경우:

①	②	③
④	⑤	⑥

먼저 ②영역과 ④영역의 색이 같은 경우를 생각하면 ①과 ②의 색 선택은 모두 3×2가지 경우가 있고, ③과 ⑤의 색이 같은 경우(4가지)와 다른 경우(2가지)를 고려하면, 경우의 수는 곱의 법칙에 의해 $6\times(4+2)=36$가지이다. 비슷하게 ②영역과 ④영역의 색이 다른 경우를 생각하면 $6\times(2+1)=18$가지이다. 따라서 A를 칠하는 경우의 수를 a라 하면, $a=36+18=54$이다.

ii) 깃발 B를 칠하는 경우:

깃발 B를 칠하기 위해 아래 표시된 A와 모양이 동일한 부분을 생각하자.

		③		
		⑥		

③, ⑥ 부분에 칠할 수 있는 경우의 수는 모두 6가지이므로 ③, ⑥의 색이 정해져 있다면 표시된 부분을 색칠할 수 있는 경우의 수는 $\frac{a}{6}$가지. 따라서 B를 색칠하는 경우의 수는 먼저 처음 세 줄을 색칠하고 (a가지) 뒤의 두 줄을 색칠하는($\frac{a}{6}$가지)를 색칠하는 경우와 같으므로 곱의 법칙에 의해 $a\times\frac{a}{6}=486$이다.

[문제 2-2]

k번째 직사각형 안에 검은색으로 칠해지는 부분의 넓이는 $\frac{1}{k}\times\frac{1}{k+1}$이다.

따라서 $b_n=\sum_{k=1}^{n}\frac{1}{k(k+1)}=\sum_{k=1}^{n}\left(\frac{1}{k}-\frac{1}{k+1}\right)=1-\frac{1}{n+1}$이므로 $\lim_{n\to\infty}b_n=1$로 수렴한다.

또한 이 깃발 전체의 넓이는 $S_n=\sum_{k=1}^{n}\frac{1}{k}$이고,

$$\lim_{n\to\infty}\sum_{k=1}^{n}\frac{1}{k}=1+\frac{1}{2}+\frac{1}{3}+\frac{1}{4}+\frac{1}{5}+\cdots=1+\frac{1}{2}+\left(\frac{1}{3}+\frac{1}{4}\right)+\left(\frac{1}{5}+\cdots+\frac{1}{8}\right)+\left(\frac{1}{9}+\cdots\right.$$
$$>1+\frac{1}{2}+\frac{1}{2}+\frac{1}{2}+\cdots=1+\lim_{n\to\infty}\frac{1}{2}n=\infty$$

이므로 $\lim_{n\to\infty}S_n=\infty$이다. $S_n=a_n+b_n$이고, $\lim_{n\to\infty}b_n=1$이므로 $\lim_{n\to\infty}a_n=\infty$이다.

한편, $-\frac{1}{n+1}=h$라 놓으면 $n\to\infty$일 때, $h\to 0$이므로,

$$\lim_{n\to\infty}(b_n)^{2n+2}=\lim_{n\to\infty}\left(1-\frac{1}{n+1}\right)^{2(n+1)}=\lim_{h\to 0}(1+h)^{\frac{1}{h}\times(-2)}=e^{-2}=\frac{1}{e^2}$$

이므로 수렴한다.

[문제 2-3]

(1) $|a| \le \dfrac{1}{2}$**이므로 함수** $f(x)$**는** $-1 \le x \le 1$**범위에서** $-1 \le f(x) \le 1$**을 만족하므로 정사각형 내부에 그려진다. 또한** $f(x)$**는** y**축에 대한 대칭이다. 따라서**

$$\int_0^1 \left(\frac{1}{2}\cos^3\left(\frac{\pi}{2}x\right)+a\right)dx=0$$

을 만족하는 a**를 구하면 충분하다.**

한편, $\cos^3\left(\frac{\pi}{2}x\right)=\cos\left(\frac{\pi}{2}x\right)-\cos\left(\frac{\pi}{2}x\right)\sin^2\left(\frac{\pi}{2}x\right)$**이므로**

$$\int \cos^3\left(\frac{\pi}{2}x\right)dx=\frac{2}{\pi}\sin\left(\frac{\pi}{2}x\right)-\frac{2}{3\pi}\sin^3\left(\frac{\pi}{2}x\right)+C\text{(단, } C\text{는 적분 상수)}$$

이고, 이를 이용하면 $\int_0^1 \left(\frac{1}{2}\cos^3\left(\frac{\pi}{2}x\right)+a\right)dx=\frac{1}{\pi}-\frac{1}{3\pi}+a=0$**이다. 따라서** $a=-\dfrac{2}{3\pi}$**이다.**

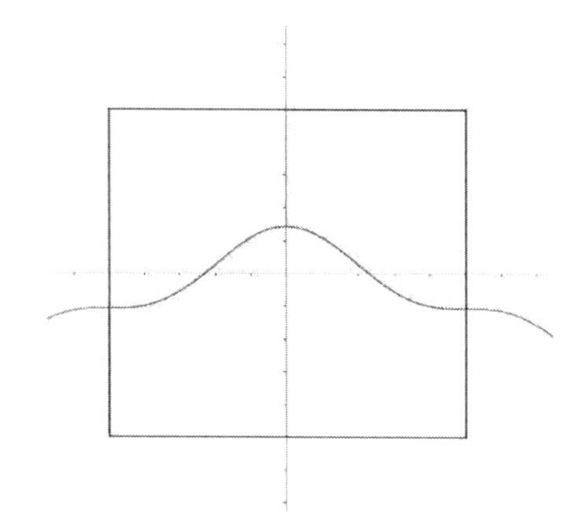

(2) $f(x)=2-bx^2$**는** y**축에 대한 대칭인 함수이고** $b>3$**이므로 아래 그림과 같은 개형을 가지고 있다.** $f(x)$**가 균형 잡힌 깃발을 만들기 위해서는 아래 그림의 색칠된 넓이가** 1**이 되어야 한다.**

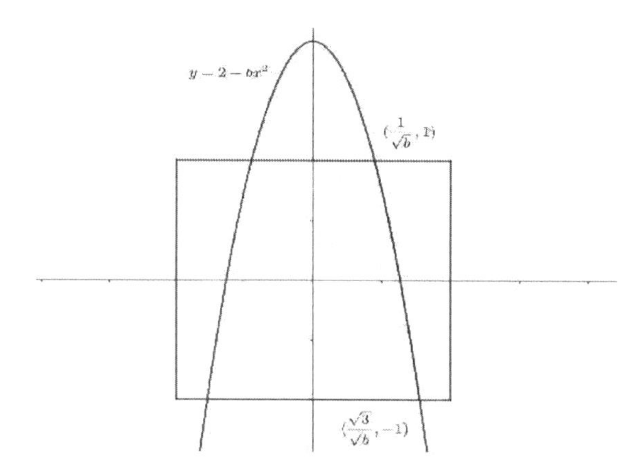

$f(x)=2-bx^2$**과 정사각형의 윗변과 아랫변이 만나는 점을** $x>0$**범위에서 구해보면 각각 점** $\left(\frac{1}{\sqrt{b}},\ 1\right)$**, 점** $\left(\frac{\sqrt{3}}{\sqrt{b}},\ -1\right)$**이다. 따라서 위 부분의 넓이는**

$$1=\frac{2}{\sqrt{b}}+\int_{\frac{1}{\sqrt{b}}}^{\frac{\sqrt{3}}{\sqrt{b}}}(2-bx^2+1)dx$$

이므로 이를 계산하면 $\sqrt{b}=2\sqrt{3}-\frac{2}{3}$을 얻을 수 있다.

11. 2021학년도 아주대 수시 논술 (오후)

[1-1] 제시문 (가)를 읽고 다음 물음에 답하여라.

(1) 실수 c에 대하여 두 함수 $f(x)=x^2-3x-6$과 $g(x)=x^3-4x+c$가 $x=a$에서 부드럽게 만난다. a가 정수가 아닐 때, $27c$의 값을 구하여라.

(2) 두 함수 $f(x)=x^4-2x^2-2x$와 $g(x)=\frac{3}{2}x^2-5x+\frac{1}{2}$이 $x=a$에서 부드럽게 만난다. 함수 $h(x)$를 $f(x)$에서 $g(x)$로 $x=a$에서 갈아타는 함수라고 할 때, $\int_0^2 h(x)dx$를 계산하여라.

[1-2] 제시문 (나)를 읽고 다음 물음에 답하여라.

(1) 양의 정수 n에 대해, 함수 $f(x)=2^x$과 $x=a$에서 부드럽게 만나는 직선의 방정식을 $y=a_nx+b_n$ (단, a_n, b_n은 실수)라 할 때, $\sum_{n=1}^{100}\frac{b_n}{a_n}$의 값을 구하여라.

(2) 함수 $f(x)=e^x$과 이차함수 $g(x)$는 $x=0$에서 부드럽게 만나고 $x=2$에서 만난다. 점 $\mathrm{P}(2, e^2)$에서 $y=f(x)$의 접선과 점 P에서의 $y=g(x)$의 접선이 이루는 예각을 θ라 할 때, $\tan\theta$의 값을 구하여라.

[1-3] 제시문 (가)를 읽고 다음 물음에 답하여라.

(1) 실수 b와 c에 대하여 두 함수 $f(x)=-x^4-2x^2+b$와 $g(x)=-\frac{4}{3}x^3-4x+c$가 $x=a$에서 부드럽게 만난다고 하자. $f(x)$에서 $g(x)$로 $x=a$에서 갈아타는 함수의 최댓값이 20일 때 $3(a+b+c)$의 값을 구하여라.

(2) 실수 d에 대하여 두 함수 $f(x)=\sin 2x+d$와 $g(x)=-\left|x-\frac{\pi}{2}\right|$이 $x=a$에서 부드럽게 만난다고 하자.

$f(x)$에서 $g(x)$로 $x=a$에서 갈아타는 함수의 최댓값을 M이라 하면, M이 가장 클 때의 d의 값을 구하여라.

[문제 2-1] (21점) 제시문 (가)를 읽고 다음 물음에 답하여라.

(1) r과 b가 양의 정수일 때, 두 번째 시행에서 꺼낸 공이 빨간 공일 확률을 r, b에 대한 식으로 나타내어라.

(2) $r=2$이고 $b=1$이라 하자. 세 번째 시행에서 꺼낸 공이 빨간 공이었을 때, 두 번째 시행에서 꺼낸 공이 빨간 공이었을 확률을 구하여라.

(3) $r=2$이고 $b=1$인 경우, 2021회 시행을 마친 직후 주머니의 빨간 공과 파란 공의 개수가 같을 확률을 구하여라.

[문제 2-2] (29점) 제시문 (나)를 읽고 다음 물음에 답하여라.

(1) 수열 $\{a_n\}$이 $a_n=n$이고, $r=b=1$, $w=2$라 하자. 2회 시행을 마친 직후 주머니의 흰 공의 개수를 확률변수 X라 할 때, 기댓값 $\mathrm{E}(X)$와 분산 $\mathrm{V}(X)$를 구하여라.

(2) 수열 $\{a_n\}$은 양의 정수로 이루어진 수열이고, $r=b=w=1$이라 하자. 10이하의 모든 양의 정수 n에 대하여 n회 시행을 마친 직후에는 주머니의 공의 개수가 3^n+2이고, 10회 시행을 마친 직후 주머니의 흰 공의 개수는 547이다. 4번째 시행을 마친 직후 주머니의 흰 공의 개수를 구하여라.

(3) 수열 $\{a_n\}$은 모든 양의 정수 n에 대하여 $a_n<a_{n+1}$을 만족하는 음이 아닌 정수로 이루어진 수열이고, $r=b=w=1$이라 하자. 100회 시행을 마친 직후 주머니의 빨간 공, 파란 공, 흰 공의 개수는 각각 2, 12, 4940이다. 파란 공을 꺼낸 횟수를 m이라 할 때, 가능한 m의 값을 모두 구하고 $\sum_{n=1}^{99}\frac{1}{\sqrt{a_n}+\sqrt{a_{n+1}}}$의 값을 구하여라.

[문제 1-1]

(1) 두 함수 $f(x)=x^2-3x-6$과 $g(x)=x^3-4x+c$가 $x=a$에서 부드럽게 만나므로 $f(a)=g(a)$이고 $f'(a)=g'(a)$이다. 즉, $a^2-3a-6=a^3-4a+c$이고 $2a-3=3a^2-4$이다. 이를 풀면 $2a-3=3a^2-4$로부터, $3a^2-2a-1=(3a+1)(a-1)=0$이 되고 a는 정수가 아니므로 $a=-\frac{1}{3}$이다. 이제 $a^2-3a-6=a^3-4a+c$에 $a=-\frac{1}{3}$을 대입하면 $\frac{1}{9}+1-6=-\frac{1}{27}+\frac{4}{3}+c$이므로 $27c=-167$이다.

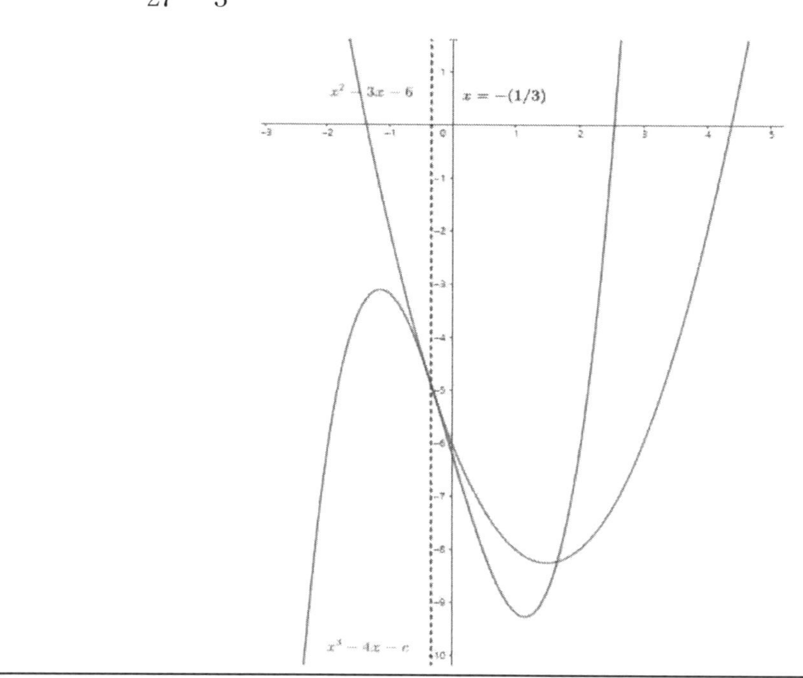

(2) $f(x)=x^4-2x^2-2x$과 $g(x)=\frac{3}{2}x^2-5x+\frac{1}{2}$이

$x=a$에서 부드럽게 만나므로 $f(a)=g(a)$이고 $f'(a)=g'(a)$이다. 즉,

$a^4-2a^2-2a=\frac{3}{2}a^2-5a+\frac{1}{2}$이고 $4a^3-4a-2=3a-5$이다.

이를 풀면 $4a^3-4a-2=3a-5$로부터, $4a^3-7a+3=(a-1)(2a-1)(2a+3)=0$이고

따라서 가능한 a의 값은 1, $\frac{1}{2}$, $-\frac{3}{2}$이다. 이 중 $a^4-2a^2-2a=\frac{3}{2}a^2-5a+\frac{1}{2}$을 만족하는 것을 찾으면 $a=1$이다. 따라서 $h(x)$는 $f(x)$에서 $g(x)$로 $x=1$에서 갈아타는 함수이고, 주어진 식을 계산하면 아래와 같다.

$$\int_0^2 h(x)dx=\int_0^1 f(x)dx+\int_1^2 g(x)dx=\left[\frac{x^5}{5}-\frac{2x^3}{3}-x^2\right]_0^1+\left[\frac{x^3}{2}-\frac{5x^2}{2}+\frac{x}{2}\right]_1^2$$

$$=\left(\frac{1}{5}-\frac{2}{3}-1\right)+\left(4-10+1-\frac{1}{2}+\frac{5}{2}-\frac{1}{2}\right)=-\frac{149}{30}$$

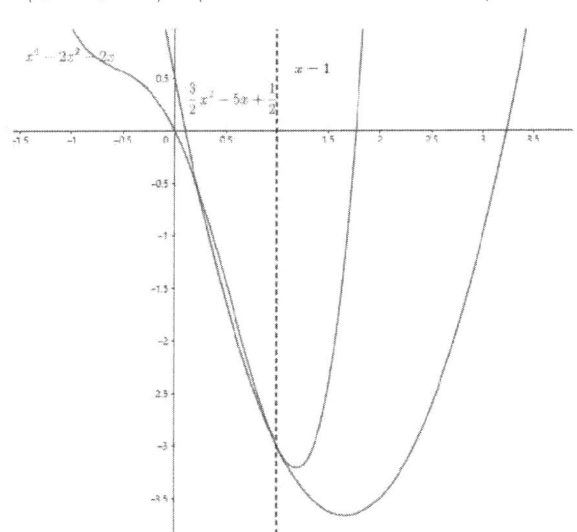

[문제 1-2]

(1) 양의 정수 n에 대해, $y=2^x$와 $x=n$에서 부드럽게 만나는 직선의 방정식은 $x=n$에서의 접선이다. $f'(n)=2^n\ln2$이고 점 $(n,\ 2^n)$을 지나므로 접선의 방정식은

$$y-2^n=2^n\ln2(x-n)$$

가 되어 $a_n=\ln2\left(e^{n\ln2}\right)=2^n\ln2$이고, $b_n=2^n-n2^n\ln2$이다. 따라서

$$\sum_{n=1}^{100}\frac{b_n}{a_n}=\sum_{n=1}^{100}\left(\frac{1}{\ln2}-n\right)=\frac{100}{\ln2}-5050$$

이다.

(2) $g(x)=px^2+qx+r$이라 하자. $g(0)=f(0)$로부터 $r=1$이고 $g'(0)=f'(0)$로부터 $q=1$

이다. $g(2)=f(2)$로부터 $p=\frac{e^2-3}{4}$이므로 $g(x)=\frac{e^2-3}{4}x^2+x+1$이다.

함수 $f(x)$위의 점 P에서의 접선의 기울기는 $f'(2)=e^2$이고, 함수 $g(x)$위의 점 P에서의 접선의 기울기는 $g'(2)=e^2-2$이고, θ는 예각이므로 삼각함수의 덧셈정리에 의하여

$$\tan\theta=\frac{e^2-(e^2-2)}{1+e^2(e^2-2)}=\frac{2}{(e^2-1)^2}$$

이다.

[문제 1-3]

(1) $f(x)=-x^4-2x^2+b$와 $g(x)=-\frac{4}{3}x^3-4x+c$가 $x=a$에서 부드럽게 만나므로 $f(a)=g(a)$이고 $f'(a)=g'(a)$이다. 즉, $-4a^3-4a=-4a^2-4$로부터, $4(a^2+1)(a-1)=0$이므로 $a=1$이다. 한편, $g(x)$는 $x\geq 1$에서 감소하므로 $h(x)$의 최댓값은 구간 $(-\infty,\ 1]$에서 $f(x)$의 최댓값과 같고, 따라서 $f(x)$의 극댓값 혹은 $f(1)$에서 최댓값을 가진다. $f'(x)=-4(x^2+1)x=0$의 실수해는 $x=0$이므로 $f(0)$와 $f(1)$의 값을 비교하면 $f(0)=b$이고 $f(1)=b-6$이므로 b최댓값이다. 즉, $b=20$이다. $f(1)=g(1)$로부터, $-3+b=-\frac{16}{3}+c$이고 $c=17+\frac{16}{3}$이다. 따라서 $3(a+b+c)=3\left(1+20+17+\frac{16}{3}\right)=130$이다.

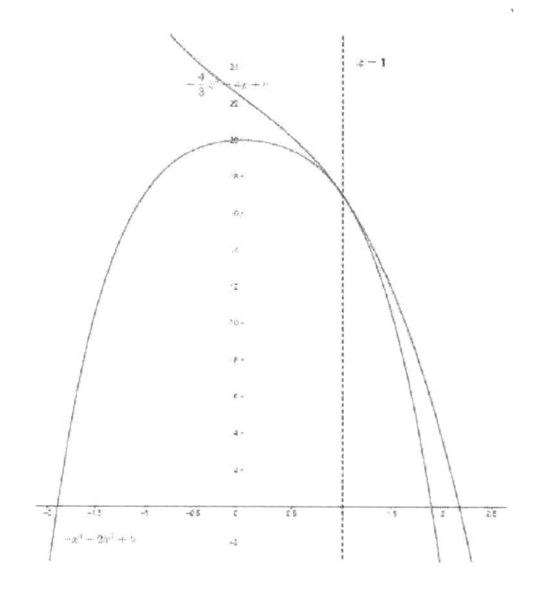

(2) 함수 $f(x)$와 $g(x)$가 $x=a$에서 부드럽게 만나므로, $f(a)=g(a)$이고 $a\neq\frac{\pi}{2}$이며, $f'(a)=g'(a)$이다. $f(a)=g(a)$로부터, $d=-\sin 2a-\left|a-\frac{\pi}{2}\right|$가 된다. $f(x)$에서 $g(x)$로 $x=a$에서 갈아타는 함수의 최댓값 M은 $d+1$혹은 0이다. 따라서 $1+d>0$인 d의 존재여부와 존재하는 경우 그 최댓값을 살펴보면 된다.

$\left|a-\frac{\pi}{2}\right| \geq 2$**이면** $1+d=1-\sin 2a-\left|a-\frac{\pi}{2}\right| \leq 0$**이므로** $\left|a-\frac{\pi}{2}\right|<2$**이라 가정하자. 먼저** $a \leq \frac{\pi}{2}$**라 하자.** $f'(a)=g'(a)$**로부터** $2\cos 2a=1$**이므로** $a=\frac{\pi}{6}+k\pi$ **혹은** $a=\frac{5\pi}{6}+k\pi$**(단,** k**는 정수) 꼴이고 이 중 범위를 만족하는** a**는** $\frac{\pi}{6}$**뿐이다. 이때**

$$d+1=-\frac{\sqrt{3}}{2}-\left|\frac{\pi}{6}-\frac{\pi}{2}\right|+1=-\frac{\sqrt{3}}{2}-\frac{\pi}{3}+1<0$$

이다.

$a>\frac{\pi}{2}$**인 경우를 살펴보자.** $f'(a)=g'(a)$**로부터** $2\cos 2a=-1$**이므로** $a=\frac{\pi}{3}+k\pi$**혹은** $a=\frac{2\pi}{3}+k\pi$**(단,** k**는 정수) 꼴이고 이 중 범위를 만족하는** a**는** $\frac{2\pi}{3}$**뿐이다. 이때** $d+1=\frac{\sqrt{3}}{2}-\frac{\pi}{6}+1>0$**이다. 따라서** M**이 최대가 되는 경우는** $a=\frac{2\pi}{3}$**이고** $d=\frac{\sqrt{3}}{2}-\frac{\pi}{6}$ **일 때이다.**

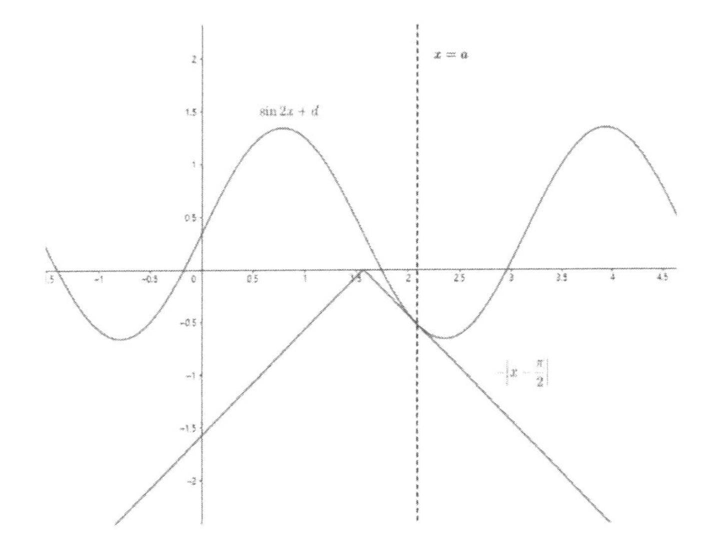

[문제 2-1]

(1) 두 번째 시행에서 꺼낸 공이 빨간 공일 확률을 경우를 나눠서 계산하자. 첫 번째 공이 빨간 공인 경우의 확률은 $\frac{r}{r+b}\times\frac{r+1}{r+b+1}$**이고, 첫 번째 공이 파란 공인 경우의 확률은** $\frac{b}{r+b}\times\frac{r}{r+b+1}$**이다. 따라서 확률의 덧셈정리에 의해 두 번째 시행에서 꺼낸 공이 빨간 공일 확률은** $\frac{r(r+1)+br}{(r+b)(r+b+1)}=\frac{r}{r+b}$**이다.**

(2) 세 번째 시행에서 꺼낸 공이 빨간 공일 경우는 모두 4가지이다. 빨간 공을 꺼내는 시행을 R, 파란 공을 꺼내는 시행을 B이라 하고 각 경우의 확률을 구하면 아래와 같다.

$$\mathrm{R-R-R}: \frac{2}{3}\times\frac{3}{4}\times\frac{4}{5}=\frac{24}{60} \quad \cdots \ ①$$

$$\mathrm{B-R-R}: \frac{1}{3}\times\frac{2}{4}\times\frac{3}{5}=\frac{6}{60} \quad \cdots \ ②$$

$$\mathrm{R-B-R}: \frac{2}{3}\times\frac{1}{4}\times\frac{3}{5}=\frac{6}{60} \quad \cdots \ ③$$

$$\mathrm{B-B-R}: \frac{1}{3}\times\frac{2}{4}\times\frac{2}{5}=\frac{4}{60} \quad \cdots \ ④$$

따라서 조건부확률은 $\dfrac{①+②}{①+②+③+④}=\dfrac{24+6}{24+6+6+4}=\dfrac{3}{4}$ **이다.**

(3) 2021**회 시행 직후 공의 수는** 2024**개이고 빨간 공과 파란 공의 개수가** 1012**개로 같아야 하므로 빨간 공은** 1010**번, 파란 공은** 1011**번 꺼내져야 한다.**

이렇게 공을 꺼내는 각 경우의 확률이 모두 $\dfrac{(2\times3\times4\times\cdots\times1011)\times(1\times2\times\cdots\times1011)}{3\times4\times\cdots\times2023}$ **와 같으므로** 2021**회 시행을 마친 직후 주머니의 빨간 공과 파란 공의 개수가 같을 확률은**

$$_{2021}C_{1010}\frac{(2\times3\times4\times\cdots\times1011)\times(1\times2\times\cdots\times1011)}{3\times4\times\cdots\times2023}=\frac{2021!}{1010!\times1011!}\cdot\frac{2\times(1011!)^2}{2023!}$$

$$=\frac{2\times1011}{2022\times2023}=\frac{1}{2023}$$

가 된다.

[문제 2-2]

(1) 각 시행에서 꺼낸 공을 흰 공인 경우(W)와 흰 공이 아닐 경우(C)로 나누자. 각 경우의 확률과 X, X^2**을 각각 구하면 아래와 같다.**

$$C-C: \frac{2}{4}\times\frac{3}{5}=\frac{6}{20},\ X=2,\ X^2=4$$

$$W-C: \frac{2}{4}\times\frac{2}{5}=\frac{4}{20},\ X=3,\ X^2=9$$

$$C-W: \frac{2}{4}\times\frac{2}{5}=\frac{4}{20},\ X=4,\ X^2=16$$

$$W-W: \frac{2}{4}\times\frac{3}{5}=\frac{6}{20},\ X=5,\ X^2=25$$

즉, $\mathrm{E}(X)=\dfrac{7}{2}$, $\mathrm{E}(X^2)=\dfrac{137}{10}$**이다. 따라서** $\mathrm{V}(X)=\mathrm{E}(X^2)-(\mathrm{E}(X))^2=\dfrac{29}{20}$**이다.**

(2) $3+a_1+\cdots+a_n=3^n+2$**이므로** $a_n=3^n-3^{n-1}=2\cdot3^{n-1}$**이다.** $2\cdot3^6>546$**이므로** $547-1=546$**은** $2\cdot3^0$, $2\cdot3^1$, ..., $2\cdot3^5$**의 조합만으로 이루어져야 한다. 한편, 그러한 조합은** $547=1+2(3+3^3+3^5)$**으로 유일함을 알 수 있다. 즉, 흰 공은** 2, 4, 6**번째 뽑혔다. 따라서** 4**번째 시행 직후 흰 공의 개수는** $1+6+54=61$**개이다.**

(3) 수열 $\{a_n\}$이 모든 n에 대해 $a_n \geq 0$, $a_{n+1} > a_n$이므로 $a_n \geq n-1$이다.

$2+12+4940=4954=3+a_1+a_2+\cdots+a_{100} \geq 3+0+1+\cdots+99=4953$**이므로,** $a_n \geq n-1$ **에 대하여 하나의** n**을 제외하고 등호가 성립해야 한다.** $n<100$**일 때** $a_n \geq n$**이면,** $a_{n+1} \geq a_n+1=n+1$**가 되어 전체 공의 개수는** 4955**이상이라 모순이다. 따라서** $a_{100}=100$**이고,** $n \leq 99$**이면** $a_n=n-1$**이다. 따라서**

$$\sum_{n=1}^{99}\frac{1}{\sqrt{a_n}+\sqrt{a_{n+1}}}=\left(\sum_{n=1}^{98}\frac{1}{\sqrt{n-1}+\sqrt{n}}\right)+\frac{1}{\sqrt{100}+\sqrt{98}}=\sum_{n=1}^{98}(\sqrt{n}-\sqrt{n-1})+\frac{1}{\sqrt{100}+\sqrt{98}}$$

$$=\sqrt{98}+\frac{10-\sqrt{98}}{2}=5+\frac{\sqrt{98}}{2}$$

이다.

한편 빨간 공의 개수가 $2=1+1$**개이므로 두 번째 시행에서 반드시 빨간 공을 꺼내야 한다. 즉, 파란 공을** 11**개를 꺼내는 방법은** 1**을 사용하지 않아야 하므로,** 11**을 뽑는 방법은 아래와 같다.**

- 12**번째 시행에서 파란 공을 꺼냄 (**11**개)**
- 1**번째 시행과** 12**번째 시행에서 파란 공을 꺼냄 (**$0+11=11$**개)**
- 1**번째,** 3**번째,** 10**번째 시행에서 파란 공을 꺼냄 (**$0+2+9=11$**개)**
- 1**번째,** 3**번째,** 4**번째,** 7**번째 시행에서 파란 공을 꺼냄 (**$0+2+3+6=11$**개)**
- 1**번째,** 3**번째,** 5**번째,** 6**번째 시행에서 파란 공을 꺼냄 (**$0+2+4+5=11$**개)**

따라서, $m=1,\ 2,\ 3,\ 4$**가 가능하다.**

공을 다섯 번 꺼내면 파란 공은 최소한 $1+(0+2+3+4+5)=15$**개 이상이므로,** $m \geq 5$**에서는 성립하지 않는다.**

12. 2021학년도 아주대 수시 논술 (저녁)

[문제 1-1] (35점) 제시문 (가)를 읽고 다음 물음에 답하여라.

(1) 함수 $f(x)$는 이차함수 $y=(x-2)^2$을 $y=1$에서 접어 올린 함수이다. 곡선 $y=f(x)$와 직선 $y=kx$가 정확히 세 점에서 만나도록 하는 실수 k의 값을 모두 구하여라.

(2) 삼차함수 $f(x)=x^3-3x^2+2x-4$의 그래프의 변곡점 $(a,\ b)$를 생각하자. 함수 $g(x)$는 $y=f(x)$를 $y=b$에서 접어 올린 함수이다. 함수 $g(x)$가 $x=p$에서 극대가 되고 $x=q$에서 극소가 되도록 하는 모든 p와 q의 값을 구하여라.

(3) 함수 $g(x)$는 최고차항의 계수가 1인 삼차함수 $y=f(x)$를 $y=1$에서 접어 올린 함수이고, 함수 $h(x)$는 $y=f'(x)$를 $y=1$에서 접어 올린 함수이다. $g(x)$가 실수 전체에서 미분가능 할 때, 두 곡선 $y=g(x)$와 $y=h(x)$의 교점의 개수를 구하여라.

(4) 양의 실수 a에 대하여, 함수 $f(x)$는 $y=a\tan^3\left(\frac{\pi x}{4}\right)$를 $y=0$에서 접어 올린 함수이다. $\int_{-1}^{1}f(x)dx=\frac{4}{\pi}$일 때 a의 값을 구하여라.

[문제 1-2] (15점) 제시문 (나)를 읽고 다음 물음에 답하여라.

(1) 이차함수 $f(x)=(x-7)^2$에 대하여 집합 S_{10}의 원소의 개수를 a라 하고 S_{10}의 모든 원소의 합을 b라 하자. a와 b의 값을 각각 구하여라.

(2) $x>0$에서 정의된 함수 $f(x)=\ln 3x$와 음이 아닌 정수 n에 대하여 S_n의 모든 원소의 곱을 p_n이라 할 때, $\sum_{n=0}^{\infty} p_n$을 구하여라.

[문제 2-1] (24점) 제시문 (가)를 읽고 다음 물음에 답하여라.

(1) 수직선의 원점에 검은 바둑돌 1개가 놓여 있다. 3회 시행 직후 검은 바둑돌이 수직선 위에 남아 있지 않을 확률을 p라 할 때, $\log p$의 값을 구하여라.
(단, $\log 2=0.30$, $\log 3=0.47$, $\log 7=0.84$로 계산한다.)

(2) 수직선의 원점에 검은 바둑돌 1개가 놓여 있다. 12회 시행을 하였을 때, $2, 4, 6, 8, 10, 12$번째 시행 직후마다 검은 바둑돌이 원점에 있지 않는 사건을 A라 하고, 12번째 시행 직후 수직선 위에 검은 바둑돌이 남아 있는 사건을 B라 하자. 이때 $\mathrm{P}(\mathrm{B}|\mathrm{A})<\frac{3}{92}$임을 증명하여라. (단, $\left(\frac{5}{9}\right)^5<\frac{19}{359}$를 증명 없이 이용할 수 있다.)

(3) 수직선의 원점에 검은 바둑돌 2개가 놓여 있고 3회 시행을 하였다. 수직선 위에 남아 있는 검은 바둑돌의 개수를 확률변수 X라 할 때, X의 기댓값 $\mathrm{E}(X)$와 표준편차 $\sigma(X)$를 구하여라.

[문제 2-2] (26점) 제시문 (나)를 읽고 다음 물음에 답하여라.

(1) 수직선의 원점에 흰 바둑돌 1개가 놓여 있다. 양의 정수 n에 대하여 n회 시행 직후 흰 바둑돌이 $x=k$의 위치에 있을 확률을 p_k라 할 때, $\sum_{k=1}^{n} k^2(p_k+p_{-k})$의 값을 n에 대한 식으로 나타내어라.

(2) 수직선의 원점에 검은 바둑돌 3개와 흰 바둑돌 1개가 놓여 있다. 3이상의 정수 n에 대하여 n회 시행 직후 바둑돌 배치로 가능한 경우의 수를 n에 대한 식으로 나타내어라.

(3) 수직선의 원점에 검은 바둑돌 4개와 흰 바둑돌 1개가 놓여 있고, 13회 시행을 하여 나온 주사위의 눈의 수를 순서대로 x_1, …, x_{13}이라 하자. 다음 <조건>을 만족시키는 모든 순서쌍 $(x_1, x_2, \dots, x_{13})$의 개수를 구하여라.

〈조건 〉

① 첫 12회 시행을 하는 동안 모든 주사위의 눈이 정확히 두 번씩 나왔다.

② 13번째 시행을 마친 직후에는 검은 바둑돌 4개와 흰 바둑돌이 모두 $x=1$의 위치에 있다.

[문제 1-1]

(1) $y=f(x)$**와** $y=kx$**가 세 점에서 만나려면 아래 그림과 같이,** $y=kx$**가** $(1,\ 1)$**을 지나거나** $y=kx$**가** $y=f(x)$**와 접해야 한다.** $y=kx$**가** $(1,\ 1)$**을 지나는 경우** $k=1$**이다.**

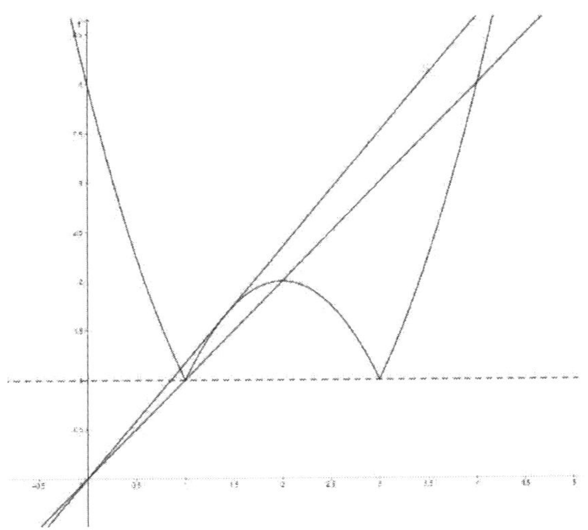

$y=kx$**와** $y=f(x)$**가** $x=a$**에서 접하는 경우를 생각하면,** $1 \le a \le 3$**가 되고,** $f(x)=2-(x-2)^2$**가 되므로** $f'(a)=-2(a-2)$**이다. 따라서** $k=-2(a-2)$**가 되어 접점의** y**좌표는** $-2a(a-2)$**이다. 한편 접점의** y**좌표는** $f(a)$**이므로,** $-2a(a-2)=2-(a-2)^2$**가 성립한다.**

이를 정리하면, $a^2=2$**이고** $1 \le a \le 3$**이므로** $a=\sqrt{2}$**이다.** $k=-2(\sqrt{2}-2)=4-2\sqrt{2}$**이다.**

따라서 가능한 k**는** $k=1,\ 4-2\sqrt{2}$**이다.**

(2) $f'(x)=3x^2-6x+2$**이고** $f''(x)=6x-6$**이므로, 변곡점의 좌표는** $(1,\ -4)$**이다. 따라서** $g(x)$**는** $x^3-3x^2+2x-4=-4$**의 세 근** $x=0,\ 1,\ 2$**에서 극솟값을 가진다. 또한,** $f'(x)=3x^2-6x+2=0$**의 두 근** $x=\dfrac{3\pm\sqrt{3}}{3}$**에서 극댓값을 가지므로,**

$p=1\pm\dfrac{\sqrt{3}}{3}$, $q=0,\ 1,\ 2$**이다.**

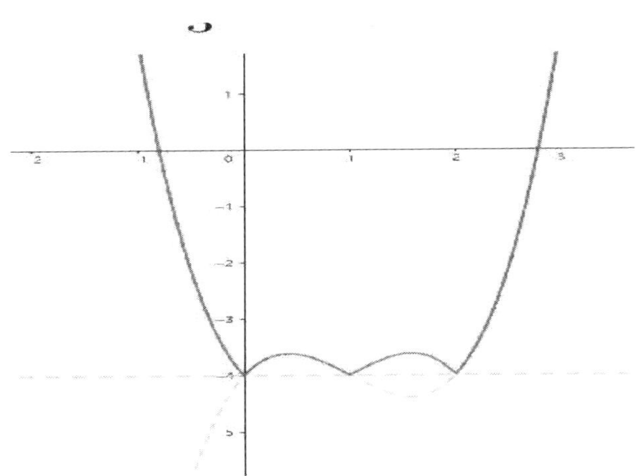

(3) 최고차항의 계수가 1인 삼차함수 $y=f(x)$를 $y=1$에서 접어 올렸더니 미분가능한 함수의 그래프가 되었으므로, $f(a)=1$인 모든 a에 대하여, $f'(a)=0$이어야 한다. 그런데 $x=a$에서 함수가 극댓값을 가지거나 극솟값을 가지면, 삼차함수 그래프의 개형으로부터 $g(x)$가 미분 불가능한 점이 항상 존재한다. 따라서 $x=a$에서 함수 $f(x)$는 변곡점을 가지므로 $f(x)=(x-a)^3+1$이다.

교점을 구하기 위해서 x축 방향으로 $-a$만큼 평행 이동 시켜 생각하면 $a=0$일 때만 구하면 충분하다. $g(x)=|x|^3+1$과 $h(x)=\left|3x^2-1\right|+1$은 둘 다 y축 대칭이므로, $x>0$일 때의 교점의 개수를 구하면 된다.

① $x<\frac{1}{\sqrt{3}}$일 때:

$g(x)$는 증가하고 $h(x)$는 감소한다.

$g(0)-h(0)<0$이고 $g\left(\frac{1}{\sqrt{3}}\right)-h\left(\frac{1}{\sqrt{3}}\right)>0$이므로 $g(x)-h(x)=0$이 되는 점이 하나 존재하므로, $g(x)$와 $h(x)$는 한 점에서 만난다.

② $x>\frac{1}{\sqrt{3}}$일 때:

$g\left(\frac{1}{\sqrt{3}}\right)-h\left(\frac{1}{\sqrt{3}}\right)>0$, $g(1)-h(1)<0$, $g(3)-h(3)>0$이므로, 사잇값 정리에 의해 한 근은 구간 $\left(\frac{1}{\sqrt{3}},\ 1\right)$에, 다른 근은 구간 $(1,\ 3)$에 존재한다. 두 근 모두 $x>\frac{1}{\sqrt{3}}$이므로, 두 점에서 만난다. 그래프 $g(x)$와 $h(x)$의 개형으로부터, $x>0$인 근은 두 개 뿐이다.

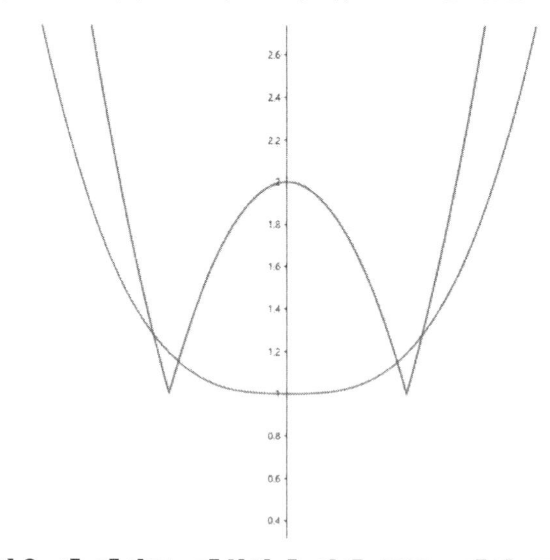

따라서 $x>0$에서 교점은 세 개이고, 대칭성에 의해 모두 6개의 교점이 있다.

(4) $y=a\tan^3\left(\frac{\pi x}{4}\right)$는 원점 대칭인 함수이므로 $y=f(x)$는 y축에 대하여 대칭인 함수이다. 즉, $\int_{-1}^{1} f(x)dx=2\int_{0}^{1} f(x)dx$이고, 구간 $[0,\ 1]$에서 $\tan^3\left(\frac{\pi x}{4}\right)\geq 0$이므로,

$$\int_0^1 f(x)dx = \int_0^1 a\tan^3\left(\frac{\pi x}{4}\right)dx$$

이다. 한편,

$$\int_0^1 \tan^3\left(\frac{\pi x}{4}\right)dx = \int_0^1 \left(\sec^2\left(\frac{\pi x}{4}\right)-1\right)\tan\left(\frac{\pi x}{4}\right)dx$$

$$= \frac{2}{\pi}\left[\tan^2\left(\frac{\pi x}{4}\right)\right]_0^1 + \frac{4}{\pi}\left[\ln\left(\cos\left(\frac{\pi x}{4}\right)\right)\right]_0^1$$

$$= \frac{2}{\pi}(1-\ln 2)$$

이므로, $\int_{-1}^1 f(x)dx = 2a \cdot \frac{2}{\pi}(1-\ln 2) = \frac{4}{\pi}$이고, $a = \frac{1}{1-\ln 2}$이다.

[문제 1-2]

(1) 먼저, S_0, S_1의 원소의 개수가 각각 1, 2이다. 또한 $k \geq 2$에 대하여 S_k는 S_{k-2}와 $\{x \mid |f(x)|=k\}$의 합집합이고 그래프의 개형으로부터 S_k의 원소의 개수는 $k+1$임을 알 수 있다. S_k의 원소 s에 대하여 $14-s$도 S_k의 원소이므로 원소의 합은 $7k$이다. 따라서 $a=1+2\cdot 5=11$이며, $b=7a=77$이다.

(2) 먼저 $S_0=\left\{\frac{1}{3}\right\}$이고, $\ln 3x=\pm 1$으로부터 $S_1=\left\{\frac{e}{3}, \frac{e^{-1}}{3}\right\}$이다. 따라서 $p_0=\frac{1}{3}$이고 $p_1=\frac{1}{9}$이다.

$n \geq 2$일 때 그래프의 개형으로부터 $S_n = S_{n-2} \cup \{x \mid \ln 3x = \pm n\} = S_{n-2} \cup \left\{\frac{e^n}{3}, \frac{e^{-n}}{3}\right\}$가 되므로 $p_n = p_{n-2} \times \frac{1}{9}$이다. 따라서 $p_n = \frac{1}{3}p_{n-1}$이 되고, 구하고자 하는 값은 첫째항이 $\frac{1}{3}$이고 공비가 $\frac{1}{3}$인 등비 급수와 같으므로 값은 $\frac{\frac{1}{3}}{1-\frac{1}{3}} = \frac{1}{2}$이다.

[문제 2-1]

(1) 검은 바둑돌이 k번째 시행에서 규칙 ㉢에 의해 버려질 확률을 구하자.

$k=1$: **처음 시행에서 규칙 ㉢의 경우가 나와야 하므로 구하는 확률은 $\frac{1}{3}$이다.**

$k=2$: **처음 두 시행에서 ㉡-㉢이 나와야 하므로 구하는 확률은 $\frac{1}{3}\times\frac{1}{3}=\frac{1}{9}$이다.**

$k=3$: **세 번의 시행동안 가능한 경우는 ㉡-㉡-㉢ 혹은 ㉠-㉡-㉢의 경우이므로 구하는 확률은 $2\times\frac{1}{3}\times\frac{1}{3}\times\frac{1}{3}=\frac{2}{27}$이다.**

따라서 검은 바둑돌이 3회 시행 직후 수직선에 남아 있지 않을 확률은

$$p=\frac{1}{3}+\frac{1}{9}+\frac{2}{27}=\frac{14}{27}$$

이고, $\log p=\log 2+\log 7-3\log 3=0.30+0.84-1.41=-0.27$이다.

(2) $P(B|A)=\frac{P(A\cap B)}{P(A)}$이므로 $P(A)$와 $P(A\cap B)$를 각각 구하자.

$P(A\cap B)$를 먼저 계산하자. 사건 $A\cap B$은 12회 시행하는 동안 $2k$번째 시행 직후 ($k=1,\ 2,\ \dots,\ 6$)검은 바둑돌은 $x=1$의 위치에 있어야 한다. 처음 검은 바둑돌의 위치는 원점이므로 두 번째 시행 직후에 검은 바둑돌이 $x=1$의 위치에 있기 위해서는 시행된 규칙은 ㉠-㉠의 경우, ㉠-㉢의 경우, ㉡-㉠의 경우로 총 3가지 경우가 있다. 이제 두 번의 시행을 더 했을 때 여전히 $x=1$의 위치에 있으려면 차례로 시행된 규칙은 아래의 5가지 중 하나이다.

㉠-㉠, ㉠-㉢ , ㉡-㉠, ㉢-㉠, ㉢-㉢

따라서 12회의 시행을 마치기까지 이렇게 5번을 시행해야 하므로, $P(A\cap B)=\frac{3}{9}\times\left(\frac{5}{9}\right)^5$이다.

이제 $P(A)$를 구하자. $P(A)=P(A\cap B^C)+P(A\cap B)$이므로, $P(A\cap B^C)$을 구하면 된다.
바둑돌이 $2k+1$번째 혹은 $2k+2$번째에서 버려지는 확률을 구하자.
$k=0$일 때 :
첫 번째 혹은 두 번째 시행에서 버려져야 하므로, 첫 시행에서 규칙 ㉢의 경우이거나 두 번째 시행까지 차례로 ㉡-㉢의 경우가 된다. 따라서 확률은 $\frac{1}{3}+\frac{1}{9}=\frac{4}{9}$이다.

$k>0$일 때 :
$2k$번째 까지는 검은 바둑돌이 남아 있어야 하므로 $P(A\cap B)$를 구하는 같이 구할 수 있으므로 확률은 $\frac{1}{3}\times\left(\frac{5}{9}\right)^{k-1}$이고, $2k+1$혹은 $2k+2$번째에서 버려지는 경우는 규칙 ㉡-㉢이 차례대로 나오는 경우 밖에 없으므로 구하고자 하는 확률은 $\frac{1}{3}\times\left(\frac{5}{9}\right)^{k-1}\times\frac{1}{9}=\frac{1}{27}\left(\frac{5}{9}\right)^{k-1}$ 이다.

즉, $P(A\cap B^C)=\frac{4}{9}+\frac{1}{27}\sum_{k=1}^{5}\left(\frac{5}{9}\right)^{k-1}=\frac{4}{9}+\frac{1}{12}\left(1-\frac{5^5}{9^5}\right)$이다. 이제 $\frac{5^5}{9^5}=\alpha$라 하고, 조건부 확률을 구하면

$$\frac{P(A\cap B)}{P(A)}=\frac{P(A\cap B)}{P(A\cap B)+P(A\cap B^C)}=\frac{\frac{\alpha}{3}}{\frac{\alpha}{3}+\frac{4}{9}+\frac{1}{12}(1-\alpha)}=\frac{12\alpha}{9\alpha+19}$$

이다.

한편, $359a < 19$이므로, $P(B|A) = \frac{12a}{9a+19} < \frac{12a}{9a+359a} = \frac{3}{92}$이다.

(3) 총 27가지의 경우 중 각 X에 대하여 경우의 수를 구하면 다음과 같다.

$X=0$인 경우 : ㉢-㉢-*, ㉢-㉡-㉢, ㉡-㉢-㉢으로 모두 5가지.

$X=2$인 경우 : ㉠-㉠-㉢, ㉢이 나오지 않는 경우로 총 $1+8=9$가지.

$X=1$인 경우 : 나머지 27개에 대한 나머지 경우 13가지

따라서 $E(X) = 0 \times \frac{5}{27} + 1 \times \frac{13}{27} + 2 \times \frac{9}{27} = \frac{31}{27}$이다.

분산을 구해보면 $V(X) = E(X^2) - (E(X))^2 = \frac{49}{27} - \frac{31^2}{27^2} = \frac{7^2 \times 3^3 - 31^2}{27^2}$이다.

따라서 $\sigma(X) = \frac{\sqrt{362}}{27}$이다.

[문제 2-2]

(1) 홀수가 m번 (단, $2m \le n$) 나온다고 하면 흰 바둑돌의 위치는 $k=n-2m$이며, 홀수가 $n-m$번 나오면 흰 바둑돌의 위치는 $-k$이다.

$$\sum_{k=1}^{n} k^2 (p_k + p_{-k}) = \sum_{k=1}^{n} k^2 p_k + \sum_{k=1}^{n} (-k)^2 p_{-k}$$

이므로

$$\sum_{k=1}^{n} k^2 (p_k + p_{-k}) = \sum_{m=0}^{n} (n-2m)^2 \frac{{}_n C_m}{2^n}$$

한편, n번의 시행에서 주사위의 눈의 수가 홀수가 나오는 횟수를 확률변수 X라 하면, X는 이항분포 $B\left(n, \frac{1}{2}\right)$를 따르므로 이항분포의 평균과 분산으로부터 $E(X)$와 $V(X)$를 구하면 다음과 같다.

$$E(X) = \frac{n}{2} = 0 \times {}_n C_0 \left(\frac{1}{2}\right)^n + 1 \times {}_n C_1 \left(\frac{1}{2}\right)^n + \cdots + n \times {}_n C_n \left(\frac{1}{2}\right)^n$$

$$V(X) = \frac{n}{4} = E(X^2) - \{E(X)\}^2 = 0^2 \times {}_n C_0 \left(\frac{1}{2}\right)^n + 1^2 \times {}_n C_1 \left(\frac{1}{2}\right)^n + \cdots + n^2 \times {}_n C_n \left(\frac{1}{2}\right)^n - \left(\frac{n}{2}\right)^2$$

이로부터 $E(X^2) = \frac{n^2+n}{4}$임을 확인 할 수 있다.

$$(\text{준식}) = n^2 - 4nE(X) + 4E(X^2) = n^2 - 2n^2 + n + n^2 = n$$

이다.

(2) 검은 바둑돌은 원점 혹은 $x=1$위에 있어야 하고 최대 3개까지 있을 수 있다. 원점의 검은 바둑돌의 개수를 a, $x=1$위의 검은 바둑돌의 개수를 b라고 하면 가능한 (a, b)는 $a+b \le 3$이 되는 음이 아닌 정수의 순서쌍이 되므로, (0,0), (1,0), (0,1), (2,0), (1,1), (0,2), (3,0), (2,1), (1,2), (0,3)으로 모두 10개이다. 또한 흰 바둑돌 배치의 경우의 수는 $n+1$이다.

한편 검은 바둑돌이 규칙 ㉠을 따라 움직이는 사건을 A라 하고 흰 바둑돌이 규칙 Ⓐ을 따라 움직이는 사건을 B라 하면, $\mathrm{P}(A)=\frac{1}{3}$, $\mathrm{P}(B)=\frac{1}{2}$, $\mathrm{P}(A\cap B)=\frac{1}{6}$이므로 두 사건은 독립이다.

비슷하게 하면, 검은 바둑돌의 규칙 중 ㉠, ㉡, ㉢ 하나가 일어나는 사건과 흰 바둑돌의 규칙 중 Ⓐ와 Ⓑ가 일어나는 사건은 독립이다. 따라서 검은 바둑돌과 흰 바둑돌의 움직임은 서로 독립적이므로 전체 경우의 수는 $10(n+1)$가지이다.

(3) 먼저 흰 바둑돌의 위치는 주사위의 눈의 순서에 상관없이 그 횟수에 의해서만 결정되므로 조건 ①에 의해 12회 시행 직후에 흰 바둑돌은 원점에 있고 조건 ②에 의하여 x_{13}은 2, 4, 6중에 하나가 되어야 한다. 조건 ①로부터 12회 시행을 하는 동안 규칙 ㉠, ㉡, ㉢의 경우가 각각 네 번씩 일어났다는 것을 알 수 있고, 13회 시행까지 검은 바둑돌이 버려지지 않고 모두 남아 있으므로 규칙 ㉢의 경우가 되는 시행의 직전에 원점에 검은 바둑돌이 있으면 안된다. 따라서 ㉢이 시행되기 전에 검은 바둑돌 4개를 $x=1$의 위치 로 옮기는 시행 (㉠)이 모두 일어나야 한다. 12회 시행을 하는 동안 규칙 ㉡이 ㉢과 ㉠ 사이에 일어나게 되면 검은 바둑돌을 버리게 되므로, 12회까지 가능한 경우는 아래 두 가지 중 하나이다.

(i) ㉡-㉡-㉡-㉠-㉠-㉠-㉠-㉢-㉢-㉢-㉢-㉡

검은 바둑돌 1개가 12회 시행 직후에 원점의 위치에 있으므로, ㉠의 경우가 일어나는 $x_{13}=4$이다.

(ii) ㉡-㉡-㉡-㉡-㉠-㉠-㉠-㉠-㉢-㉢-㉢-㉢

검은 바둑돌이 모두 $x=1$의 위치에 있으므로, ㉠, ㉢의 경우가 일어나는 $x_{13}=4$ 또는 $x_{13}=6$이다.

즉 ㉠의 자리에는 1, 1, 4, 4, ㉡의 자리에는 2, 2, 5, 5, ㉢의 자리에는 3, 3, 6, 6이 있어야 한다. a, a, b, b를 일렬로 나열하는 순열의 개수는 6이므로, 각 경우 6^3가지이고, 구하고자 하는 답은 $3\cdot 6^3=648$이다.